# ABYSSES

Conception maquette intérieure : G. Lebeau

# Erika Stevens

# Cendres mortelles

LIBRAIRIE DES CHAMPS-ÉLYSÉES

À mes « sourires », mes « p'tites âmes ».

*Le Morse dit : « C'est bien méchant*
*De leur jouer ce mauvais tour*
*Après ce trajet galopant*
*Et tant de longs détours. »*
(Lewis Carroll)

# PREMIÈRE PARTIE

## LA TRAVERSÉE
## DU MIROIR

# CHAPITRE

# I

## L'INVITATION AU VOYAGE

Certains jours, la vie semble si terne et on se sent tellement vide que même un prospectus aux couleurs criardes peut devenir un objet de divertissement, sinon de diversion...

Julia Stenzo en était là, à éplucher les messages publicitaires qu'elle venait de découvrir dans sa boîte aux lettres. Propositions d'abonnement à des revues, vente par correspondance avec un stylo plaqué or en cadeau si on passait une commande de plus de cent francs dans les dix jours, jeu concours sans obligation d'achat avec une magnifique voiture à gagner... Toujours la même rengaine : *OUI, Mme Stenzo, vous ne rêvez pas ! Ce chèque de cent mille francs est à vous !*\* L'astérisque renvoyait en bas de page à une ligne aux caractères minuscules qui posait des conditions draconiennes au gain de la somme promise...

La jeune femme ouvrait les enveloppes avec nonchalance, comme assommée par une chaleur torride. Paris, pourtant, était gris et la température était largement en dessous des fameuses normales saisonnières. « Un été de chiottes ! » comme se plaisait à le répéter la mère Dubois, concierge de l'immeuble, vieille sorcière aux dents rongées par l'acide de la négligence, aigrie comme le ciel maussade qui pesait sur les toits de la capitale. Julia tentait de trouver des excuses à sa déprime dans cet horizon de coton sale qui laissait derrière lui des nuits sans étoiles. Le mauvais temps devenait coupable de cette léthargie qui s'était emparée d'elle ; les nuages étaient responsables de sa lassitude. Elle avait toujours été sensible à la ronde des saisons, pleine de sève et de projets au printemps, d'humeur triste à la fin de l'automne. Cette fin juillet ressemblait à un novembre, et pour Julia, novembre ressemblait à la mort. Le temps, c'était la faute au temps. Elle aurait aimé y croire, mais elle devait bien s'avouer que sa lassitude relevait d'un autre temps, de celui qui passait, dénué de sens : deux ans sans écrire une ligne, deux longues années à tremper une plume faussée dans un encrier asséché... Peut-être n'avait-elle plus rien à raconter, peut-être avait-elle laissé entre les pages de son dernier roman les ultimes lambeaux de son imaginaire. Un imaginaire dévasté par une poignée de livres, quelques milliers de pages, une armée de signes alignés dans la frénésie.

Une enveloppe, qui n'avait pas été postée mais de toute évidence déposée dans sa boîte aux lettres, retint son attention. Dans une sorte d'arrêt sur image, elle contemplait, le regard figé, le dessin qui figurait à l'emplacement du timbre, en haut à droite. Elle reconnut la petite Alice de Lewis Carroll représentée par John Tenniel. « BOIS-MOI... MANGE-MOI », murmura Julia. L'image montrait Alice après sa chute dans le terrier du Lapin Blanc, s'apprêtant à boire le flacon qui, en un instant, allait la faire rapetisser. L'enveloppe, elle, portait les mots « OUVREZ-MOI ! » La jeune femme songea à une proposition d'achat des œuvres complètes de Lewis Carroll, reliées cuir, en série limitée…

Elle retourna l'enveloppe. Au dos, il était inscrit : « VOUS NE LE REGRETTEREZ PAS… » Elle l'ouvrit avec une infinie délicatesse, comme si elle redoutait de briser un charme en déchirant le papier. Enfant, les aventures d'*Alice au pays des merveilles* l'avaient fascinée mais également terrifiée sans trop savoir d'où provenait ce malaise. Adulte, elle avait relu l'histoire avec un autre regard, y découvrant des abîmes de frayeur et d'étrangeté dérangeante. Le bébé maltraité de la Duchesse qui se transformait en cochon... Le Chat du Cheshire qui apparaissait et disparaissait à volonté, laissant derrière lui un sourire qui s'effaçait doucement à son tour... Le thé chez les fous où l'absurde régnait en maître sur les actes et les mots... Cette Reine despotique, ce Roi insignifiant, ce Lapin Blanc toujours pressé, toutes ces têtes de cartes à jouer que l'on voulait trancher... Julia resta rêveuse un instant avant de déplier l'imprimé que contenait la mystérieuse enveloppe.

Curieusement, il provenait d'une agence de voyages et non d'un éditeur, comme elle l'avait d'abord imaginé.

L'agence portait le nom plutôt inattendu de *Through the Looking-Glass*. Pas une seule photo aguicheuse ne venait étayer les propos du dépliant publicitaire, aucune mer d'azur, aucun hôtel de rêve avec piscine, rien. Choix délibéré ou souci d'économie ? Les bureaux du voyagiste se situaient dans un quartier huppé, rue Saint-Honoré. Ces gens-là devaient avoir les moyens d'illustrer leurs prospectus de somptueuses images de cartes postales...

Julia parcourut ce qui ressemblait davantage à une lettre qu'à une offre promotionnelle. Le papier gris perle, légèrement gaufré, était de qualité et agréable au toucher. Le plus étonnant, c'était que ce courrier, en dehors de son en-tête imprimé, avait été rédigé à la main, avec un stylo plume bleu. Il avait suffi à la jeune femme d'humecter légèrement son index et d'en caresser la page pour voir l'encre baver.

*THROUGH THE LOOKING-GLASS*
*(À travers le miroir)*
*Raphaël & Stanislas Korliakov associés*
*Agence de voyages*
*82, rue Saint-Honoré*
*1er étage droite*
*75001 PARIS*


*Chère Madame Stenzo,*


Connaissez-vous l'île de Snark ? Évidemment, ce nom doit vous rappeler les récits extraordinaires de Lewis Carroll, mais si « la Chasse au Snark » relève de l'imagination pure, l'île, quant à elle, existe bel et bien - bien que l'on n'en trouve aucune trace sur les cartes officielles. Je l'ai découverte, songeant qu'elle devait être déserte, lors d'une traversée en solitaire de l'Atlantique. Des vents contraires, latéraux, nous avaient conduits, mon voilier et moi, tandis que je m'étais assoupi, jusqu'aux côtes de cette contrée inconnue. J'ai cru rêver en découvrant la magnificence de ce petit pays hors du monde ; car il s'agit bien d'un pays minuscule, habité par un peuple accueillant, les Snarkiens, qui tente depuis une quinzaine d'années de vivre en autarcie. Certains d'entre eux naviguent parfois jusqu'à notre continent pour y acquérir du matériel et des livres, mais le plus souvent, c'est notre agence qui s'occupe de les ravitailler. Leur monnaie et leur langue sont identiques aux nôtres. Cela mérite quelques explications.

Au commencement, l'île était déserte. Deux familles, embarquées sur un voilier pour un tour du monde, l'ont découverte et l'ont baptisée Snark.

*Séduits par ce retour à la nature, les Tellier et les Werner, résidant jusqu'alors à La Rochelle, ont décidé d'habiter l'île. De jeunes Werner se sont unis, depuis, à de jeunes Tellier. L'originalité de ce peuple réside dans le lien familial qui unit tous ses membres. « Tous frères ! », telle est la devise des Snarkiens.*

*Ils ont créé leur propre culture, inévitablement empreinte de la nôtre. Vous retrouverez là-bas vos traces tout en les perdant...*

*Les Snarkiens ont besoin de notre aide financière pour subsister mais refusent d'être envahis par le tourisme. Notre agence a passé un accord avec eux et organise un séjour à Snark de dix jours tous les mois. Une dizaine de personnes seulement sont admises à chacune de nos traversées.*

*Si vous décidez de participer à notre prochain voyage, vous serez chaleureusement accueillie, nourrie et logée chez l'habitant. Il n'existe pas d'hôtel ou de village de vacances à Snark. En revanche, une taverne et des aires de loisirs y sont disponibles (notez que la monnaie qui circule à Snark est le franc français).*

*Le climat y est particulièrement clément. Le ciel est bleu en toute saison et la température stable, entre 23 et 25 °C. Le paysage snarkien est varié : plages de sable fin, forêts, montagnes, prairies et champs verdoyants. Quand on a visité l'île de Snark, on n'a plus envie de la quitter. Cette île semble exister « de l'autre côté du miroir », au revers de la réalité, là où notre propre reflet nous attend, aux confins de l'imaginaire, là où nos rêves deviennent plus vrais que nos souvenirs... Jamais vous ne pourrez l'oublier... et elle ne vous oubliera pas.*

*Si vous croyez que ce voyage formidable est inscrit dans votre destinée, n'hésitez pas à venir retenir votre place à notre agence.*

*Nous sommes ouverts tous les jours, sauf le dimanche, de 14 heures à 19 heures. Notre prochain départ est prévu pour le 9 août dans le port de La Rochelle, où un train vous conduira.*

*Salutations particulièrement distinguées,*

*Raphaël Korliakov.*

*P.-S. : Je connais la question que vous vous posez : « Combien ? » C'est peut-être là la question la plus fréquemment posée de par le monde...*
*Prix du voyage et du séjour : 1 500 francs tout compris. Un forfait aussi inouï que l'île de Snark !*

Julia replia la lettre avec autant de délicatesse qu'elle avait ouvert l'enveloppe puis fronça les sourcils. Elle se demanda si tous les immeubles de Paris avaient été inondés par ce même message... rédigé à la main. Comment aurait-ce été possible ? Combien de temps aurait pris la rédaction de ce courrier, multiplié par environ deux millions d'exemplaires ?! C'était, décidément, plus qu'improbable... On avait dû effectuer une sélection... À cette pensée, elle frissonna. Le terme de *sélection* évoquait pour elle, avant toute autre chose, la Seconde Guerre mondiale et les théories nazies. Pourquoi avait-on glissé cette curieuse proposition dans *sa* boîte aux lettres ? D'autres habitants de l'immeuble avaient-ils reçu la même *invitation au voyage* ? Elle décida de rendre visite à sa voisine et amie, Aline.

— Je te dérange ?

— Non, pas du tout. Tu excuseras juste le désordre… Je te préviens, c'est vraiment… J'ai pas eu le temps. C'est…

— Tu sais combien je m'en fiche !

*J'ai l'habitude… songea Julia. À midi, on te trouve en peignoir avec une tonne de linge empilé sur ta table à repasser, tes livres d'historienne empilés ou répandus un peu partout dans le salon… Faut plus me le faire, le coup de la dame surprise exceptionnellement en plein souk ! Tout ça, c'est toi, c'est tout toi, et ça te rend plutôt sympathique…*

— Assieds-toi où tu peux… Tu veux un café ?

— Non, merci, j'en ai déjà pris trois… Et puis, je ne voudrais pas te déranger. J'avais juste une question à te poser…

— Tu veux parler à l'historienne ou à la bonne femme ?

— Je ne sais pas… Peut-être aux deux. Tu as déjà entendu parler de l'île de Snark ?

— Quoi ?! Tu n'as pas lu Lewis Carroll, toi, un écrivain ? La chasse au Snark, je connais, mais une île de ce nom n'existe pas. C'est pour un prochain roman ou tu délires ?

— Ni l'un ni l'autre… Tu n'as pas trouvé dans ta boîte aux lettres le prospectus d'une agence de voyages qui faisait mention de cette île ? Pas une enveloppe postée mais déposée…

— La mère Dubois vieillit, si elle a laissé passer un distributeur de prospectus… En tout cas, le type qui s'est introduit dans l'immeuble n'était pas très sérieux. Pour preuve, il a oublié ma boîte aux lettres !

— Tu as bien épluché ton courrier ?

— Oui, comme d'habitude. Tu sais, je ne laisse jamais rien passer… Pas même une offre publicitaire ! On ne sait jamais… Je suis descendue à 11 heures. En pantoufles et robe de chambre. À part une facture de téléphone et une proposition d'abonnement à *Historama,* c'était *Waterloo morne plaine*…

Julia brandit sous le nez de sa voisine l'enveloppe qu'elle avait reçue.

— Ça te dit quelque chose ?

— Non… Pourquoi ?

— Laisse tomber. Le type a dû être surpris par la Dubois pendant qu'il distribuait ses prospectus…

— Alors, la vieille n'est pas tout à fait hors-service. Mais qu'est-ce qui t'inquiète, dans ce truc publicitaire ?

— Rien, absolument rien ! Je me demandais juste si tu serais intéressée par un séjour dans l'île de Snark…

Aline haussa les épaules :

— D'ici huit jours, tu recevras une proposition inouïe pour l'achat de l'œuvre complète de Carroll reliée cuir…

— Certainement, répondit Julia en toisant le bout de ses chaussures.

Elle se demandait déjà où le sort allait la conduire.

Elle quitta Aline avec un sourire qui n'en menait pas large, qui la menait déjà au large, de l'autre côté du miroir…

La lettre, qu'elle avait glissée dans la poche de sa chemisette, à l'endroit du cœur, continuait de piquer sa curiosité : enfin quelque chose de peu ordinaire arrivait dans son existence... Elle n'allait pas laisser passer une telle chance. La chance de rêver et... d'avoir peur. L'inconnu l'avait toujours fascinée et effrayée à la fois.

Elle visita, pressentant déjà quelle serait leur réponse, quelques-uns de ses voisins pour leur demander s'ils avaient reçu un courrier identique. À chaque fois, on lui répondit en effet par la négative.

Pour finir, elle se rendit chez la concierge.

La mère Dubois n'avait laissé entrer aucun colporteur, représentant en aspirateurs ou distributeur de prospectus.

— Je connais mon métier, tout de même ! s'écria-t-elle, l'air offensé. J'ai l'œil ! Je suis payée pour ça, non ?

Julia lui montra l'enveloppe de l'agence.

— Et ça ? Ça ne vous dit rien ?

La gardienne fronça les sourcils sur l'image de Tenniel.

— Ben quoi ? Où est le problème ? C'est le pli qu'on m'a remis pour vous ce matin. C'est pas la première fois qu'un coursier me remet un truc pour vous...

— Un coursier a déposé cette lettre ?

— Un coursier, je sais pas... Il avait pas de casque à la main et il était bien habillé. C'est rare que ces gars-là circulent en costume.

— Un ami a dû vouloir me faire une plaisanterie, songea Julia à haute voix.

— Pourquoi ? Qu'est-ce que vous avez trouvé dans l'enveloppe ?

— À quoi ressemblait-il, votre messager, madame Dubois ? demanda Julia sans répondre à la question de la concierge.

— Eh bien, vous allez trouver ça ridicule, mais je me suis dit qu'il ressemblait à un œuf. Le genre petit et rondouillard... Et puis, il était poli comme un croque-mort... D'ailleurs, il portait un costume noir.

— Et il vous a bien demandé de *me* remettre ce courrier ?

— Y a pas trente-six Julia Stenzo dans l'immeuble, s'énerva la mère Dubois.

L'unique Julia Stenzo, troublée, prit congé de la gardienne. Une chose était sûre : aucune de ses relations masculines ne ressemblait à un œuf... Alors, qui était cet homme aux allures de croque-mort ? D'où la connaissait-il ? Et que lui voulait-il, en vérité ? Que cachait cette proposition de voyage inédite ?

Cette nuit-là, la jeune femme eut un sommeil perturbé. Elle fit un rêve angoissant et grotesque. Elle traversait l'Atlantique sur une barque. Un petit homme en noir, muet comme une tombe, ramait de toutes ses forces. Elle abordait une île où des gens l'attendaient en riant aux éclats. *L'œuf* et son bateau s'éloignaient de la côte, et puis la mer montait ou bien l'île s'enfonçait dans les eaux ; Julia, soudain seule, sombrait dans l'océan, se débattant dans une jungle d'algues vertes qui s'entortillaient à ses chevilles et ses poignets, comme animées d'une volonté maléfique.

Elle s'éveilla trempée, poisseuse, comme si elle s'était réellement baignée dans une mer peuplée de végétaux verdâtres et gluants. Le vert... Par superstition d'artiste, elle n'avait jamais porté cette couleur qu'on associait au malheur, à la malchance...

Elle décida de prendre une douche. Sottement, elle hésita à ouvrir les robinets, comme si elle redoutait qu'une pluie d'algues s'abatte sur elle et s'enroule autour de son corps nu. L'espace d'un instant, elle crut voir passer une ombre derrière le rideau de douche et sursauta, le cœur battant la chamade. *C'est ça, bientôt, tu vas te faire un remake de Psychose, si ça continue !* songea-t-elle avec agacement.

# CHAPITRE

# II

## TWEEDLEDUM & TWEETLEDEE

Julia sortit de la station de métro des Halles et s'achemina vers la rue Saint-Honoré. C'était curieux, tout de même, une agence de voyages qui n'avait pas pignon sur rue… Quelle clientèle pouvait espérer un tel commerce ?

*Ils contactent eux-mêmes leurs clients potentiels… Pour preuve, la lettre qu'ils ont remise pour moi à la concierge. Mais pourquoi ?* pensa-t-elle.

Là, le mot *sélection* tournoya de nouveau dans sa tête. Elle ralentit progressivement son allure, le pas indécis, prise d'une soudaine angoisse qui lui serrait la gorge.

*Et si j'allais me jeter tout droit dans un guet-apens ?* Elle ne se connaissait pas d'ennemis. Elle songea à l'enlèvement… Mais était-elle une proie intéressante pour des kidnappeurs ? Sa famille - ce qu'il en restait - ne roulait pas sur l'or, et elle-même tirerait sous peu le diable par la queue si elle ne pondait pas bientôt un nouveau roman. Non, cette hypothèse était décidément ridicule. Restait celle du *serial killer* amateur d'écrivains de sexe féminin aux cheveux blonds… Elle haussa les épaules.

La bouche sèche, elle s'arrêta devant le 82 de la

rue Saint-Honoré, hésitant à presser le bouton d'ouverture de la porte d'entrée. Elle se secoua, jugea absurde cette appréhension qui s'était emparée d'elle sans raison valable. On était en plein jour. En cas de danger, elle pourrait crier... C'était un quartier très passant, pas un coupe-gorge perdu dans la cambrousse. Que risquait-elle, après tout ? La découverte d'un voyage de 1 500 francs auxquels allaient s'additionner elle ne savait quels frais de réservation, d'assurance, doublant le prix du séjour ? Pour peu que l'île de Snark existe vraiment... Rien de bien inquiétant, en vérité. Que risquait-elle à aller voir de plus près la mirobolante proposition de cette soi-disant agence de voyages ? Elle ne s'était pour l'instant engagée à rien et cette escapade vers un ailleurs éventuel était peut-être susceptible de débloquer sa carrière d'écrivain. Seul de l'extraordinaire, de l'inconnu semblait encore capable de renouveler son imaginaire, de délier sa plume pour l'emporter vers une nouvelle histoire, écrite dans la frénésie, la jubilation printanière... Derrière ce bouton, cette porte, il y avait peut-être une main secourable à même de la sauver de son naufrage.

Elle pénétra dans un couloir sombre, enclencha la minuterie et découvrit un interphone, à gauche d'une nouvelle porte. Elle scruta le tableau des sonnettes et en découvrit une au nom de « Korliakov frères associés, Through the Looking-Glass Cie ». Rien ne mentionnait qu'il s'agissait d'une agence de voyages.

Julia hésita encore quelques secondes, l'index en suspens à quelques centimètres du bouton. Elle ferma les yeux à l'instant où la minuterie plongeait le corridor dans l'obscurité et enfonça en aveugle la touche de l'interphone. Après quelques crachotements, une voix nasillarde lui répondit :

— Stanislas Korliakov, j'écoute…

La jeune femme inspira une profonde bouffée d'air avant de répliquer :

— Ici Julia Stenzo, j'ai reçu votre courrier à propos d'un séjour dans l'île de Snark.

Elle aurait peut-être dû ajouter « stop, je vous reçois cinq sur cinq ! » tant sa réponse ressemblait à celle d'un officier de l'armée de l'air. Elle sourit des paroles qu'elle venait de prononcer sur un ton inattendu, comme si, agent secret, elle avait transmis des informations codées ou un mot de passe à son QG…

— Entrez, répondit la voix aigre-douce, premier étage droite.

Dans un déclic, la porte vitrée qui la séparait encore du hall de l'immeuble s'ouvrit. Julia enclencha de nouveau la minuterie. Elle leva les yeux au plafond, en toisa les angles à la recherche d'une hypothétique caméra de surveillance. Elle se sentait observée, comme si la voix qui l'avait invitée à entrer avait eu des yeux. L'air était pesant, comme chargé de l'haleine d'une cohorte de fantômes. Combien de personnes, aussi surprises qu'elle l'avait été en entendant parler de Snark, étaient passées par ce corridor pour se rendre chez les Korliakov ? Combien avaient été *sélectionnées* ? Son instinct l'incita soudain à rebrousser chemin. Elle dut se raisonner pour renoncer à fuir, repoussa de toute sa volonté cette panique d'incendie. Il lui fallait aller jusqu'au bout, découvrir la vérité au risque de le regretter. Elle ne pourrait pas continuer à vivre avec cette lettre, enfouie dans un tiroir, qui chaque jour la narguerait de ses insolubles mystères. Julia était curieuse, infiniment curieuse. Trop de questions dans l'existence étaient destinées à demeurer sans réponses. L'invitation étrange de l'agence, elle, était une énigme à sa portée. Il suffisait d'entrer dans un bureau, de découvrir le visage de la voix aigre-douce...

Elle snoba l'ascenseur et s'engouffra dans les escaliers d'un pas chancelant. Ses genoux flageolaient, sa bouche était sèche. Quelle appréhension obscure pouvait bien justifier ce tremblement incontrôlable et cette impression d'avoir mangé du carton ? Elle se traita d'idiote. En y réfléchissant bien, son angoisse devait être liée au dessin de John Tenniel, au souvenir des mésaventures cauchemardesques de la petite Alice et peut-être aussi à son rêve de la nuit précédente, à ce naufrage parmi les algues vertes... Ses terreurs d'enfant avaient resurgi d'un coup... Mais Julia n'était plus une enfant. Du moins, plus vraiment... À 32 ans, on ne croyait plus au Chapelier fou, au Ver à soie qui fume assis sur un champignon et à tous ces personnages aux discours ou aux actes absurdes.

*Ma vieille*, se dit-elle en pressant la sonnette, *c'est pas la Reine de Cœur qui t'attend derrière cette porte et personne ne va crier : « qu'on lui tranche la tête !...*

Malgré tout, la petite fille qui persistait à sommeiller en elle doutait encore de son aînée.

Un petit homme rond lui ouvrit, s'effaçant devant elle, la main tendue :

— Bonjour, je suis Stanislas Korliakov. Ravi de vous rencontrer, mademoiselle Stenzo. Entrez, je vous prie.

Il courba l'échine comme un larbin. Julia s'était toujours méfiée des gens obséquieux. Il devait s'agir là de « l'œuf aux allures de croque-mort » dont avait parlé la mère Dubois.

La paume du bonhomme était moite et sa poignée de main molle. Tout ce que Julia détestait. Comment faire confiance à quelqu'un dont le contact physique vous rappelait la texture visqueuse d'une limace ? Elle imaginait très bien ce type en train de présenter ses condoléances à un ennemi qui aurait perdu un proche. Courbettes fielleuses, hypocrisie de bon aloi, politesse de traître...

— Attention au chat ! dit Korliakov en repoussant du pied un siamois qui s'apprêtait à s'échapper en bondissant vers le palier. Cheshire adore visiter nos voisins et dévorer leurs plantes vertes...

Il émit un petit rire haut perché. Julia entra. La porte claqua derrière elle.

Elle se retrouva face à la réplique exacte de Stanislas et ne put s'empêcher de comparer les deux frères à Tweedledum et Tweedledee, les deux petits bonshommes ronds et identiques de Lewis Carroll.

*Où suis-je tombée ? se dit-elle. Je rêve ? Je suis entrée dans le songe de la petite Alice, tombée dans les pièges absurdes du révérend Dodgson ? Des clones, on dirait des clones...*

— Mon frère, Raphaël, annonça Stanislas dans une nouvelle courbette empruntée.

Le second Korliakov s'était levé et se pencha

sur son bureau pour tendre à Julia la même main de limace que celle de son jumeau.

— Eh oui ! ricana-t-il. Nous sommes des jumeaux parfaits. Si vous saviez comme nous avons joué de notre ressemblance quand nous étions enfants ! Des tours pendables... Mais, asseyez-vous donc, chère mademoiselle.

Julia prit place sur le fauteuil que lui désignait Korliakov numéro 2.

— Désirez-vous un café, un jus de fruit ? proposa Stanislas le larbin.

— Un verre d'eau suffira, balbutia Julia d'une voix étouffée. Il faisait une chaleur impossible dans le métro...

— Oui, le temps semble soudain tourner à l'orage, acquiesça Raphaël. Stan, s'il te plaît ?

— Oui ?

— Un grand verre d'eau avec des glaçons pour notre visiteuse.

— Tout de suite, Raph...

Stanislas disparut derrière une porte.

— Alors, commença son frère, dans un large sourire, vous avez pris connaissance de notre offre de voyage ?

— En effet, répondit sèchement Julia, sinon je ne serais pas ici.

— Très juste ! reconnut Raphaël Korliakov en frappant dans ses mains. J'aime les gens logiques... et ludiques aussi.

— Et vous aimez également Lewis Carroll me semble-t-il...

— Beaucoup, oui. C'était avant tout un mathé-maticien, et son univers absurde repose sur une

**29**

inébranlable logique. N'est-ce pas fascinant ?

Il sourit suavement. Ses yeux d'un bleu délavé troublaient Julia, qui ne percevait rien de distinct dans ce regard aussi flou qu'un ciel blanc aux nuages dilués. Se moquait-il d'elle ? Tentait-il de créer entre eux une sorte de complicité ? Jouait-il les commerciaux habiles qui flattaient leur proie pour mieux la posséder ? Sincère ou menteur ? Elle demeura dans le doute, curieuse de la tournure que prendrait bientôt leur conversation.

— Mes voisins, dit-elle, ne semblent pas avoir reçu le même courrier… Vous pouvez m'expliquer pourquoi ?

— Je serai sincère et franc avec vous, répliqua Korliakov en plaquant ses mains, tous doigts écartés sur le sous-main en cuir brun de son bureau.

Il se leva et pointa l'index vers un ordinateur qui trônait sur une table à roulettes.

— La réponse est là… Nous avons créé un programme qui permet le croisement et la synthèse des fichiers divers où figure le nom de nos éventuels clients. Ainsi, nous obtenons un portrait psychologique, et parfois même physique, des individus. Sur cette base, nous sélectionnons ceux à qui nous enverrons l'offre que vous avez reçue.

*Sélection…* Le mot avait été lâché. Julia se mordit les lèvres.

— Cette méthode me semble plutôt illégale. Elle va contre la loi informatique et libertés !

— Ne jouez pas les naïves, cela ne vous ressemblerait pas ! Vous savez très bien que loi ou non, les sociétés se revendent allégrement leurs fichiers. Et nous sommes tous fichés partout, ma chère !

Stanislas déposa un verre d'eau glacée devant Julia et se tint raide comme la justice dans l'ombre de son jumeau.

— Vous profitez d'une offre de remboursement sur un paquet de café moulu et vlan, reprit Raphaël, vous voilà répertoriée dans une base de données. Vous commandez par correspondance une crème amincissante et toc, même topo. Vous répondez à une étude de marché sur les yaourts et vous serez fichée comme consommatrice de yaourts maigres ou de yaourts aux fruits, que sais-je ! Tous vos goûts, vos habitudes sont stockés dans la mémoire d'un ordinateur qui connaît également votre âge, votre profession, vos loisirs, votre statut familial…

Julia ricana :

— Eh bien, qui suis-je selon vous ?

Raphaël Korliakov sourit à nouveau :

— Stan ? Sors-moi la fiche de cette dame…

Stanislas ouvrit le tiroir étiqueté S-T d'un meuble à fichiers et tendit un dossier à son frère.

— Voilà, annonça Raphaël-Tweedledum dans un sourire triomphant. Vous avez 32 ans, vous pesez entre 53 et 55 kilos, vous mesurez 1,69 m, vous avez les cheveux châtain clair, vous êtes célibataire, écrivain qui n'a rien publié depuis deux ans. Vous adorez le fromage, vous détestez le céleri. Vous pratiquez la natation une fois par semaine. Vous possédez un téléviseur couleur, un magnétoscope, prévoyez d'acheter un caméscope et de changer sous peu l'ordinateur sur lequel vous travaillez. Vous avez acquis les œuvres complètes de Charles Dickens, de Jack London et de… Lewis Carroll, ainsi qu'une encyclopédie sur les phénomènes paranormaux… Cela vous suffit-il ou souhaitez-vous en apprendre davantage sur vous-même ?

— Inutile, vous pouvez vous arrêter là ! Je trouve vos méthodes inadmissibles ! Par ailleurs, je ne comprends rien à cette histoire de sélection. Une agence de voyages digne de ce nom ne fouine pas dans la vie privée de ses clients avant d'accepter de leur vendre un séjour aux Canaries.

— C'est que Snark n'est pas les Canaries, répondit Raphaël Korliakov sur un ton doucereux. Quant aux renseignements privés dont vous faites état, c'est vous-même qui les avez fournis à diverses sociétés…

Tweedledee le larbin secoua la tête en signe d'acquiescement.

— Ça ne m'explique toujours pas la raison et les critères de votre fameuse sélection pour ce fabuleux séjour dans cette hypothétique île de Snark !

— Pour commencer, personne ne vous oblige à croire en l'existence de cette île dont je peux, par ailleurs, vous montrer quelques photographies… Pour finir, les Snarkiens, qui ne désirent pas sacrifier leur indépendance à un tourisme débridé et ravageur, ne souhaitent recevoir au sein de leur communauté que des êtres qui, pour diverses raisons, leur ressemblent, leur correspondent…

— Quelle étrange histoire… murmura Julia en fronçant les sourcils.

— Mais vous aimez les histoires, non ? lança Korliakov-Tweedledum sur un ton ironique. Et l'étrange ne vous est pas étranger, si j'en juge par les romans que vous avez écrits.

— Qu'est-ce que je risque à vous croire ? pensa Julia à haute voix.

— Ça ! Rien de plus ! répliqua le maître des lieux en sortant d'un tiroir de son bureau une poignée de photos.

Jamais Julia n'avait vu une herbe si verte, presque fluorescente tant son fabuleux éclat semblait gorgé de toute la lumière du soleil. Hypnotisée par cette couleur insensée, comme venue d'un autre monde, la jeune femme réserva sa place sur le prochain bateau qui partirait pour l'île de Snark.

En quittant le bureau des frères Korliakov, elle repensa malgré elle aux algues de son cauchemar et frémit. Et si le rêve qu'elle avait fait était prémonitoire ? Le vert... Le vert allait-il lui porter malheur et la conduire à sa perte ?... Mais les algues du songe étaient verdâtres, n'avaient pas la luminosité franche de l'herbe de Snark qui invitait davantage à l'insouciance qu'à l'angoisse. Julia tentait de se rassurer, mais la petite fille qui s'était réveillée en elle sentait l'aiguillon de la peur s'enfoncer dans le creux de sa nuque. Si l'adulte se traitait de folle, l'enfant, elle, pressentait de proches mésaventures et redoutait une horreur sans nom. Cette horreur demeurait aussi indistincte et imprévisible que les monstres qui se camouflaient autrefois sous le lit de la petite Julia.

# CHAPITRE

# III

## LES HUÎTRES PIÉGÉES

Aline soupira :

— Comme ça, tu as laissé un chèque à cette fameuse agence qui n'a même pas pignon sur rue, et tout ça sans demander de garantie à ces Korliakov ?

Julia haussa les épaules.

— Je ne suis plus à ça près !

— Et ça va se passer comment, si jamais ça se passe ?

— Ils m'ont promis pour ce prix-là de me réserver une place dans le TGV Atlantique jusqu'à La Rochelle. On me conduira en bus jusqu'au port. Là, un bateau m'attendra, le *Alice,* et je serai accueillie sur le quai par un certain capitaine Smith et son équipage.

— Tiens, c'est amusant. C'était également un capitaine nommé Smith qui commandait le *Titanic…* remarqua Aline.

— C'est un nom très courant en Angleterre, non ?

— Exact. Reste à savoir combien d'entre eux sont capitaines de la marine de plaisance.

— Tu cherches à me faire peur ?

— J'ai comme un pressentiment…

— Comme les divers voyants et autres allumés qui sont censés avoir eu des prémonitions au sujet de la catastrophe du *Titanic* ? ironisa Julia par pure bravade.

Elle songeait au naufrage de son rêve et à ses propres pressentiments...

Aline haussa les épaules :

— Ne dis pas de sottises ! Tu connais mon esprit cartésien. Je ne pense pas à un naufrage... Il m'est juste revenu à l'esprit l'histoire des huîtres d'un chapitre des aventures d'Alice. Tu sais, les huîtres conviées à déjeuner et qui s'en réjouissent, ignorant qu'elles constitueront le plat principal du repas... Tu te prépares à un départ sans connaître réellement l'issue du périple. Qui va t'accueillir à ton arrivée ? Où seras-tu logée ? Dans quelles conditions ? Tu n'as demandé aucun détail sur la manière dont se déroulera ton séjour. Sais-tu seulement où elle se situe dans l'Atlantique, cette fameuse île de Snark ? Connais-tu le mode de vie de ses habitants ? Tiens, une question toute bête : sont-ils reliés au continent par téléphone ou par radio, ou bien vivent-ils isolés de notre monde ? La question fondamentale demeurant : cette île existe-t-elle vraiment ou Julia Stenzo vient-elle de se faire arnaquer en beauté ?

— J'ai vu des photos...

— Et ça t'a suffi ! ricana Aline. Des photos qui avaient été prises où ? Des photos qu'on avait trafiquées de quelle manière pour te faire croire à de l'insolite ? À propos de cette herbe très verte dont tu m'as parlé, sais-tu que n'importe quel logiciel de graphisme digne de ce nom peut modifier les couleurs, la luminosité, les contrastes d'une image scannée ? La pelouse du parc Monceau, soumise à ce traitement, pourrait ressembler à une plaine extraterrestre !

— Je ne t'imaginais pas aussi incrédule et méfiante... Mais somme toute, tu n'as pas entièrement tort...

— Merci.

— Oui, je vais retourner là-bas demander de la documentation et des informations plus précises. Ça fait trois jours que je rêvasse peut-être bêtement sur ce voyage, comme si la seule vue de cette herbe éclatante m'avait hypnotisée... J'ai tellement besoin de renouveau, d'énergie, d'idées fraîches...

— D'idées vertes, d'une verdeur pleine de sève, toutes nouvelles, inédites... nota Aline dans un doux sourire. Je sais...

Julia lui renvoya un regard vide.

— Je vais retourner là-bas, annonça-t-elle dans un souffle.

Elle se leva, poussa un profond soupir et prit congé de sa voisine en lui promettant de la tenir au courant...

Avant de s'engouffrer dans l'ascenseur, elle se retourna vers son amie qui était restée sur le pas de sa porte :

— À une lettre près, ma petite Aline, tu étais bonne pour le pays des merveilles ! lança-t-elle en souriant.

Aline, qui aurait pu être une Alice mais qui ne l'était pas, avait réussi à attiser le doute et sa cohorte de craintes irraisonnées dans l'esprit de sa voisine. Julia rageait...

Elle repensa aux huîtres conviées à déjeuner pour être mangées... S'il s'agissait d'une entreprise de malfaiteurs, *Through the Looking-Glass Cie* aurait pu lui demander le double de la somme qu'elle avait versée sans que cela paraisse cependant exorbitant... N'était-ce pas d'autant plus étrange, après tout ? Quel bénéfice insignifiant pouvaient bien tirer les frères Korliakov de l'organisation de séjours de vacances à prix cassés ? Elle avait du mal à imaginer les jumeaux investis dans une œuvre humanitaire, luttant pour l'autonomie et la survie des Snarkiens... Ces poignées de main de limaces, cette supériorité narquoise qui émanait du jumeau dominant, la servilité sans émotion de son frère... Cette histoire de sélection qui devait prendre des jours et des jours de travail et un investissement de milliers de francs. Les sociétés ne livraient leurs fichiers qu'à prix d'or, et puis le croisement de toutes ces données devait représenter un labeur de titan.

Si on déduisait du forfait demandé par les Korliakov le prix du trajet en TGV, celui de la traversée, de l'hébergement et de la nourriture, les jumeaux ne pouvaient être que déficitaires. Alors, pourquoi ? Lubie de riches rentiers ? Intérêts mystérieux ? La *sélection*... Quels en étaient les critères ? Les Korliakov s'étaient montrés évasifs à ce sujet : les Snarkiens ne souhaitaient recevoir que des gens « qui leur correspondent ». Que signifiait exactement cette restriction ? Le loup correspondait au loup mais aussi à l'agneau... Les deux frères avaient tout de même parlé également de *ressemblance*. En quoi Julia pouvait-elle bien s'apparenter aux Snarkiens ? C'était presque sciemment qu'elle avait omis de poser la question aux jumeaux...

D'accord, elle allait retourner au 82 de la rue Saint-Honoré et briserait peut-être la magie qui la berçait depuis quelques jours. Elle s'était laissé prendre au piège de la rêverie, s'inventant une infinité d'îles de Snark, ne voyant pas plus loin que le bout de son imagination.

Que redoutait Aline, l'historienne amoureuse des gargouilles grimaçantes et des statues funéraires étranges ? Que son amie laisse et perde dans cette affaire une somme dérisoire ? Qu'elle devienne l'objet d'une secte inconnue ? Même si Julia pouvait sembler s'enliser depuis quelque temps dans une déprime mouvante, elle avait gardé toute sa tête et ses facultés de raisonnement, tout son discernement.

*OK, ma chère Aline, tu en auras pour l'argent que tu n'as pas versé aux frères Korliakov !* songea-t-elle avec colère. *Je te fournirai des preuves et tu verras que je ne suis pas une idiote, une cave, la proie imbécile d'une arnaque cousue de fil blanc !*

Ce qui aurait pu paraître réellement douteux, aurait été, par exemple, que les jumeaux proposent un séjour en Polynésie à un tarif aussi bas... Une semaine à Tahiti dans un hôtel luxueux pour 1 500 francs, voyage compris. Qui aurait cru à une telle offre ?

Elle en voulait presque à sa voisine d'avoir ainsi insinué le doute, un certain trouble, un peu brumeux, dans son jugement. Julia désirait croire à l'île de Snark. Elle le désirait de toutes ses forces rescapées du naufrage de la dépression. Elle détestait tant cet état flottant, sans envies, sans projets, sans buts ! Il fallait qu'elle *arrive* quelque part, n'importe où mais quelque part. Ce navire baptisé *Alice,* s'il existait vraiment, était peut-être sa seule bouée de sauvetage. S'il existait vraiment... Elle n'avait jusqu'alors jamais douté de son existence, il serait à quai dans le port de La Rochelle le jour J. Ensuite, ce serait quitte ou double : l'émerveillement ou le désenchantement, l'herbe lumineuse ou les algues verdâtres. La vie ou la mort... Elle nourrissait malgré elle ce pressentiment excessif qui relevait du pile ou face. *Voir Snark et mourir !* ricanait-elle quand cette angoisse devenait trop oppressante.

Dans le métro, elle songea à des questions dérisoires, purement matérielles : le linge de toilette et les draps étaient-ils fournis par l'habitant ? Existait-il des spécialités culinaires propres à cette île ? Les maisons des Snarkiens disposaient-elles de l'électricité et de l'eau courante ?

Avant de parler de son prochain départ à Aline, Julia n'avait songé à aucun de ces petits détails qui appartenaient à la vie quotidienne. L'essentiel était ailleurs, dans l'espérance d'une évasion qui serait comme une résurrection. Elle ne savait même pas à quelle distance des côtes françaises se trouvait l'île de Snark, combien de temps il faudrait au bateau pour l'accoster.

Elle entra dans le corridor du 82 rue Saint-Honoré, se demandant soudain si l'ordinateur des Korliakov savait qu'elle prenait des euphorisants et des tranquillisants depuis déjà plusieurs mois...

C'était terriblement gênant de se sentir comme nue à cause d'un programme informatique qui avalait une infinité de petits morceaux de votre vie comme autant de pièces de puzzle.

Elle appuya sur le bouton de la minuterie et scruta le tableau de l'interphone. Son cœur s'emballa quand elle constata, incrédule, que le nom de l'agence avait disparu. Elle pressa en vain le bouton qui avait porté quelques jours plus tôt l'inscription *Through the Looking-Glass Cie, Korliakov frères associés*... Un esprit malveillant ou un gamin farceur avait dû décoller l'étiquette... Elle sonna de nouveau avec énergie, plusieurs fois, sans obtenir davantage de réponse. Alors, elle pensa à Aline, aux huîtres bernées, prête à porter plainte pour escroquerie contre les jumeaux, doutant désormais de recevoir un jour sa réservation à bord du TGV Atlantique...

Machinalement, elle pressa une autre sonnette, celle d'une certaine Mme Sargos :

— Oui ? Qui est là ? répondit une voix lointaine, parasitée par des grésillements.

— Désolée de vous déranger, madame, répondit Julia d'une voix blanche, mais vous pouvez peut-être me renseigner. Je cherche une agence de voyages dirigée par MM. Raphaël et Stanislas Korliakov...

— Les deux gros jumeaux ?

— Oui, c'est ça.

— Ils ont déménagé pas plus tard qu'hier. Ça faisait pourtant peu de temps qu'ils s'étaient installés là.

— Ils n'ont pas laissé d'adresse ?

— À qui ? Ici, il n'y a même pas de concierge.

— Ils n'avaient placardé aucune affichette communiquant leurs nouvelles coordonnées pour leurs clients ?

— Il semblerait que non... C'était une agence de voyages, vous dites ?

— Oui.

— J'aurais jamais cru...

Les Korliakov, comme le Chat du Cheshire, s'étaient évanouis, évaporés dans la nature, ne laissant derrière eux qu'un sourire moqueur que Julia imaginait très bien. Il lui semblait même entendre le double écho d'un rire sardonique.

# Chapitre

# IV

## Un train d'enfer

Ce train n'avait ni queue ni tête. Julia en traversait les wagons, les soufflets et n'en voyait pas le bout. Elle tournait en rond. Le train tournait en rond. On aurait pu croire que la locomotive était attachée au premier et au dernier wagons, si ce n'était qu'il n'y avait pas de locomotive et ni commencement ni fin à ce long serpent métallique. Un tel engin pouvait-il mener quelque part ? Le temps passait, mais l'espace se réduisait à un cercle dont on faisait et refaisait le tour. Le paysage semblait plaqué contre les vitres, en trompe l'œil. Si Julia avait pu ouvrir une fenêtre et tendre la main au-dehors, elle était persuadée que ses doigts se seraient heurtés à un décor de carton-pâte.

Personne, dans les compartiments qu'elle visitait, ne semblait se soucier de cette absurdité.

— À quelle heure arriverons-nous à La Rochelle ? avait-elle demandé à un vieil homme moustachu qui feuilletait un journal.

— À l'heure prévue, celle indiquée sur votre billet, avait-il répondu, se replongeant aussitôt dans sa lecture.

Les compagnons de voyage du vieillard l'avaient, en chœur, d'un seul mouvement de tête, foudroyée du regard et Julia était sortie à reculons, comme si elle avait redouté d'être frappée dans le dos.

Dans le couloir, elle avait frénétiquement fouillé ses poches et son sac, à la recherche de son billet. En vain. Peut-être l'avait-elle laissé dans ses bagages. Mais où était son compartiment ?

Elle marchait, marchait, ballottée par les mouvements du train qui n'en finissait pas de prendre des virages à une allure d'enfer, comme pressé d'arriver… nulle part.

L'ombre d'un contrôleur se dessinait derrière la vitre d'une porte de communication entre deux wagons. Julia accélérait le pas dans sa direction.

— Billet, s'il vous plaît !

Il était si rond, si gros qu'il obstruait le couloir.

— Je n'arrive pas à remettre la main dessus… Je voulais vous demander un renseignement…

— Je ne donne aucune information aux fraudeurs ! Vous êtes incapable de me présenter votre billet, je dois donc verbaliser et considérer, quelles que soient vos explications, que vous voyagez sans titre de transport.

— Non ! Enfin, oui… Je ne peux pas vous le montrer maintenant mais j'en ai un !

— Possédez-vous éventuellement d'autres titres qui pourraient vous tirer d'affaire ? Seriez-vous Reine de quelque part ou même Duchesse ?

— Je crains que non…

— Alors, vous devrez payer une amende ou descendre immédiatement de ce train !

— J'ai beau chercher, je n'ai pas d'argent sur moi. Du moins, je l'ai perdu ou il est resté dans mon compartiment. Mon billet doit y être également...

— Où se trouve votre compartiment ?

— En vérité, je l'ignore. Je le cherchais justement...

— Vous semblez passer votre temps à chercher... À chercher votre titre de transport ! À chercher votre argent ! À chercher votre compartiment ! Savez-vous au moins qui vous êtes ou cherchez-vous aussi votre identité ? Suivez-moi, ma p'tite dame. Vous êtes arrivée à destination. Peut-être ignoriez-vous, d'ailleurs, où nous allions et avez-vous pris un train au hasard.

Le contrôleur avait ouvert une porte qui donnait sur l'extérieur, le vide, ou plutôt sur l'intérieur du cercle infernal que ne cessait de parcourir le train.

— Allez ! Sautez ! Ou dois-je vous pousser ?

Deux bras déjà se refermaient sur son ventre et basculaient son corps vers le grand trou noir du vertige.

Julia s'éveilla en criant. Des visages surgirent de derrière les sièges du compartiment. On aurait dit des têtes coupées, posées sur le haut du dossier des fauteuils.

— Que se passe-t-il ? grogna l'une des têtes.

— Rien de grave ! répondit le jeune homme qui voyageait aux côtés de Julia. Un cauchemar sûrement !

Les têtes sans corps disparurent.

— Bonjour, dit doucement le garçon, nous sommes dans le TGV Atlantique et d'ici un peu moins de vingt minutes, nous arriverons au terminus, La Rochelle. Ça va ? Vous vous sentez mieux ?

— Excusez-moi, balbutia Julia, j'ai fait un mauvais rêve, complètement absurde. Vous avez lu Lewis Carroll ?

Le jeune homme hocha la tête en souriant :

— Je prépare une thèse sur son œuvre.

— Alors, vous devez connaître ce passage de *Through the Looking-Glass* où Alice se retrouve dans un train peuplé d'êtres étranges, d'insectes, et où elle est confrontée à un contrôleur très...

— Particulièrement borné ! dit l'inconnu en souriant.

Julia ouvrit son sac et en sortit son billet de train avec un profond soulagement.

— Vous n'avez pas raté votre arrêt, au moins ? lui demanda son voisin avec une pointe d'inquiétude polie. Quand je suis monté, vous dormiez déjà...

— Trop tôt pour moi, ce départ. Je ne suis pas une matinale... En tout cas, rassurez-vous, je n'ai pas raté ma station. Je vais jusqu'au terminus.

— Tant mieux, madame... ?

— Stenzo, Julia Stenzo.

— Votre nom me dit quelque chose...

— C'est possible, j'écris des bouquins d'épouvante et de fantastique un peu plus doux...

— C'est donc ça ! Enchanté de vous rencontrer ! Je m'appelle Julien Prieur, mais appelez-moi Julien, si vous le voulez bien.

— D'accord, mais appelez-moi Julia, alors.

— Ça marche !

— Dites-moi, Julien, vous comptez passer des vacances à La Rochelle ?

— Oh non ! C'est une ville charmante mais…

— Alors ? L'île de Ré ou celle d'Oléron ?

— Pas davantage. Je vais bien dans une île mais son nom ne vous dirait rien ou… autre chose.

— Snark… murmura Julia. À coup sûr, vous allez dans l'île de Snark et un bateau baptisé *Alice,* dirigé par un certain capitaine Smith, vous attend dans le port de cette charmante ville qu'est La Rochelle.

— Eh ! Eh ! Vous êtes voyante ou vous faites partie du voyage ?

— Je ne détiens hélas aucun don paranormal. Du moins, je crois…

— Super ! Je pressens que ça va être chouette de voyager avec vous !

Un grésillement vrombit alors dans le wagon :

— Mesdames et messieurs les voyageurs, d'ici une minute, le train entrera en gare de La Rochelle. (Puis, quelques instants plus tard :) La Rochelle, La Rochelle ! Terminus ! Tout le monde descend.

Julien, en jeune homme courtois, porta la valise de Julia.

Sur le parking de la gare, un car, qui affichait en lettres vertes sur ses flancs le nom de l'agence de voyages, les attendait.

Julia monta dans le bus à la suite de son jeune compagnon, non sans ressentir un pincement au cœur, celui de l'appréhension irraisonnée…

Pourrait-elle seulement envoyer une carte à Aline, lui donner de ses nouvelles ? Existait-il au monde une seule personne qui ait reçu une lettre tamponnée du cachet de l'île de Snark ? !

Tweedledum et Tweedledee étaient là pour accueillir les voyageurs. Stanislas, debout aux côtés du chauffeur, comptait les voyageurs à leur passage.

— Où étiez-vous passés, votre frère et vous ? demanda Julia en s'arrêtant devant lui.

— Oh ? s'étonna Korliakov. Vous avez eu besoin de nous joindre ? Je suis désolé, nous avons déménagé dans des bureaux plus grands et le courrier mentionnant à nos clients nos nouvelles coordonnées a dû vous parvenir trop tard… Vous l'aurez à votre retour.

Là, le gros gnome sourit, au bord du rire, en regardant le bout de ses souliers vernis.

— L'essentiel, dit-il d'une voix grave en reprenant son sérieux, c'est que vous soyez là, que vous soyez des nôtres…

Son regard avait quelque chose d'inquiétant, de cynique, qui mit Julia mal à l'aise.

— Venez Julia ! l'interpella alors Julien. Je nous ai réservé deux places !

Elle fixa tour à tour les frères Korliakov :

— Vous nous accompagnez jusqu'au bout du voyage ?

— Oh non ! répondit Raphaël qui était resté sur le parking. Le capitaine vous attend au port et prendra le relais. Nous avons trop de travail pour nous payer des vacances ! Il nous faut organiser le prochain départ…

— Qui a lieu quand ?

— Eh bien, le 7 septembre, répondit Stanislas, avec un retour prévu pour le 17 du même mois.

— Quant à vous, vous serez de retour ici le 19 août, ajouta Raphaël, un sourire narquois au bord des lèvres.

Stanislas le rejoignit d'un bond, souple comme une balle.

À cet instant, Julia eut brusquement envie de s'échapper de l'autobus et de reprendre le train en sens inverse mais les portes s'étaient déjà refermées, le chauffeur avait démarré et, au fond du car, Julien se tortillait sur son siège, agitant la main dans sa direction, illuminé d'un sourire radieux.

— J'arrive ! lança-t-elle avec une pointe d'exaspération.

L'insouciance du jeune homme avait quelque chose d'irritant. Il ne semblait pas connaître ce gros caillou d'angoisse qui, par moments, pesait de tout son poids au creux du ventre de Julia. Seule la jeunesse pouvait afficher une telle inconscience. À 20 ans, on n'avait peur de rien. Ensuite... On vieillissait, on devenait frileux, installé dans une vie qui n'était plus à faire.

Elle rejoignit son compagnon de voyage d'un pas d'automate. Elle n'avait guère envie de discuter jusqu'à leur arrivée dans l'île.

Son instinct lui disait qu'elle ne reverrait jamais Tweedledum et Tweedledee.

À travers la vitre sale de l'autocar, elle aperçut les jumeaux monter dans une grosse voiture noire qui ressemblait à un corbillard. Le bus s'engagea dans une rue, à droite, et Julia perdit de vue l'automobile sinistre des frères Korliakov.

# CHAPITRE

# V

## UN SAUT DANS LE TEMPS

Julia s'éveilla en sursaut, la bouche pâteuse, avec un début de migraine. On venait de frapper à la porte de sa cabine et une voix de clairon lui avait annoncé qu'on allait prochainement entrer dans le port de Snark, qu'elle devait se préparer.

— Quoi ? Déjà ? chuchota-t-elle pour elle-même.

Elle regarda sa montre, incrédule. Il ne pouvait pas être 10 heures du matin... Elle avait dîné à 19 heures dans sa cabine, comme tous les autres passagers, et s'était promis une promenade nocturne sur le pont du bateau, une sorte de cargo transformé en navire de plaisance. Le *Alice* sentait le vieux rafiot remis à neuf. Il n'avait rien d'un paquebot : pas de salle de restaurant, pas de bar... Rien. Que des cabines aménagées avec les moyens du bord au creux de ses flancs d'acier noirs comme la nuit. On avait creusé de petites alcôves dans ses entrailles, grignotant l'espace du mieux qu'on l'avait pu.

Julia se redressa sur sa couchette et jeta un œil à travers la vitre de son hublot : c'était bien la lumière du jour qui entrait dans sa cabine et qui brillait sur les vagues. Au bord de la nausée, elle fronça de nouveau les yeux sur le cadran de sa montre. Dans un effort de mémoire désespéré, elle tenta de se rappeler ce qu'elle avait fait la veille après dîner.

Elle avait dû prendre son repas en trente ou quarante minutes, pas davantage... Et ensuite ? Qu'était-il arrivé ? Pourquoi n'était-elle pas allée sur le pont comme elle l'avait projeté ? Elle avait dormi, bien entendu, mais certainement pas à 8 heures du soir... Avait-elle décidé de bouquiner dans sa couchette, renonçant à sa balade nocturne ? Elle regarda la tablette près de son lit : pas l'ombre d'un livre. Son regard se porta ensuite sur sa valise : elle ne l'avait même pas ouverte. À cet instant seulement, elle remarqua qu'elle avait dormi tout habillée et sans retirer sa montre. Son jean lui avait scié l'intérieur des genoux : elle avait l'habitude de dormir les jambes repliées. Elle ne s'était même pas glissée entre les draps... comme si elle n'en avait pas eu la force.

Pourtant, elle ne pouvait accuser la fatigue du voyage en train ! Deux heures et quelques de TGV durant lesquelles elle avait justement dormi... Qu'avait-elle bu en mangeant ? Le quart de champagne offert par l'agence et... de l'eau. Pas de quoi abattre un écrivain accoutumé aux cocktails littéraires où l'alcool coulait à flots.

Elle se palpa la nuque à la recherche d'une bosse éventuelle. Elle avait pu tomber et... Elle ricana.

*C'est ça*, songea-t-elle, *je me suis assommée en tombant... pile sur ma couchette ! Ou alors, on m'a assommée puis allongée sur mon lit...*

Elle secoua la tête, les lèvres pincées, comme pour se moquer d'un être invisible qui n'aurait été autre qu'elle-même, qu'un double stupide.

On frappa de nouveau à sa porte :

— Petit déjeuner ! Je peux entrer ou je dépose votre plateau dans le couloir ?

On se serait cru soudain dans un grand hôtel.

— Déposez-le, s'il vous plaît !

— Nous débarquerons à 11 heures, madame.

— Merci.

Elle avait horreur que l'on pénètre dans son intimité. Mais quelle intimité ? Celle d'une femme qui s'était endormie habillée sans même sortir un objet personnel de sa valise ? C'était absurde. Elle se leva pour aller chercher son plateau. Un bon café noir, comme elle l'avait commandé la veille, voilà ce qu'il lui fallait pour remettre ses idées en place. Noir...

Le noir, oui, elle se souvenait du noir, d'un noir épais qui avait enroulé ses tentacules de pieuvre autour de son corps, l'entraînant vers un abîme sans fond. Elle se souvenait maintenant du vertige, de cette chute sans heurt qui ressemblait à celle d'Alice dans le terrier du Lapin Blanc... Elle avait fermé les yeux, les avait rouverts, s'était allongée lourdement sur sa couchette, et puis... Et puis, plus rien ! Un saut dans le temps jusqu'à ce matin 10 heures. Un sommeil pesant, sans rêves, qui lui avait laissé un goût de carton dans la bouche. Maintenant, on allait arriver quelque part au bout d'un long périple. Long ? Qu'en savait-elle ? À quelle allure était allé le cargo ? Il aurait pu s'arrêter des heures sans qu'elle en ait conscience... À quelle distance était-elle de chez elle ? C'était impossible à évaluer et l'agence n'avait pas daigné en faire mention - pour protéger l'indépendance des Snarkiens bien sûr... L'espace avait été avalé par ce pan de temps manquant, ce trou noir qu'on avait creusé dans la mémoire de Julia. Cette amnésie partielle la dérangeait. Comment avait-elle pu s'effondrer sur son lit aussi vite ? Cette question la gênait comme un petit caillou glissé dans sa chaussure. Maintenant, elle avait envie de revoir Julien Prieur et de discuter de tout ça avec lui. Avait-il subi le même sort ou avait-il passé la soirée à papoter sur le pont avec d'autres passagers ?

Une corne de brume retentit et un marin, très certainement muni d'un porte-voix, cria : « Terre ! Terre ! » Julia songea aux anciens vaisseaux pirates, à *l'Île au trésor* de Stevenson. Il y avait quelque chose de désuet dans ce cri de vigie qui l'invitait à monter sur le pont. Elle repensa alors à son embarquement dans le port de La Rochelle. C'était là un événement qui n'avait pas été effacé de sa mémoire...

Un équipage empressé s'était emparé des bagages des voyageurs pour les charger à bord du cargo. Le capitaine Smith, soulevant sa casquette avec déférence, s'était présenté :

— Capitaine Smith, Jonathan Smith, d'origine anglaise mais né sur le sol français. Bienvenue à bord du *Alice* ! Je suis là pour vous conduire à bon port et je vous souhaite un agréable voyage à bord de mon vieux mais fidèle navire. Ce n'est pas un paquebot pour croisières de luxe, mais il a son charme... Si vous voulez bien embarquer... Un steward vous mènera jusqu'à vos cabines et vous fera faire le tour du propriétaire.

Dans les yeux bleu foncé de Smith brillait une lueur froide. On sentait dans ce regard une détermination, une autorité et une violence que semblaient vouloir démentir sa voix suave et son sourire accueillant. Pour Julia, c'était le regard qu'elle avait imaginé au capitaine Achab en lisant *Moby Dick* d'Hermann Melville… Smith, lui, possédait toujours ses deux jambes, contrairement au héros du roman, mais il lui manquait un doigt. Julia l'avait remarqué quand l'homme avait soulevé sa casquette. L'auriculaire de sa main droite semblait avoir été tranché net. Elle avait alors repensé à cette vieille coutume japonaise qui voulait qu'on offre l'un de ses doigts coupé, en signe de repentir, à une personne qu'on avait offensée…

Sur la passerelle, un marin avait, comme Stanislas Korliakov, compté les voyageurs à leur passage. Ensuite, on avait largué les amarres et le steward, un grand type au visage en lame de couteau, avare de paroles, avait mené les passagers à leurs cabines respectives. Une famille, parents accompagnés de leurs trois rejetons, avait eu droit à la plus vaste, une sorte de petit dortoir aux couchettes superposées.

La visite du bateau s'était révélée sans grand intérêt, son histoire également : un cargo qui n'avait auparavant transporté que des marchandises et qu'on avait aménagé pour accueillir également des voyageurs. Certaines soutes continuaient à tenir leur rôle initial pour acheminer jusqu'à Snark du matériel dont les habitants avaient besoin.

L'heure du dîner était vite arrivée et, désolé de ne pas disposer de salle de restaurant pour un repas plus convivial, on avait invité les passagers à regagner leur cabine pour y être servis.

La suite, pour Julia, s'était résumée à un avocat aux crevettes, un plat de poisson en sauce et quelques fruits de saison accompagnés d'un quart de champagne... Soudain, elle se rendit compte qu'on l'avait débarrassée de son plateau sans qu'elle en ait conservé le souvenir... Dormait-elle déjà quand le steward s'était introduit dans sa cabine ? Elle ne l'avait certainement pas entendu frapper et il était entré, croyant que Julia avait quitté les lieux. Cette idée la mit terriblement mal à l'aise. Un étranger l'avait surprise dans son sommeil, avait pu l'observer, les jambes repliées sur sa couchette, les cheveux en bataille, le visage empreint d'une expression qu'elle-même ne connaissait pas... Si quelqu'un avait frappé, comment avait-elle pu ne pas l'entendre ? Elle avait, hélas, le sommeil si léger que le moindre grincement de plancher l'éveillait en sursaut. Pour sûr, cette léthargie profonde qui s'était emparée d'elle sur ce bateau n'était pas naturelle. Le cuisinier avait dû droguer les plats. Seule une dose massive de somnifères pouvait l'avoir entraînée dans un aussi lourd et long sommeil... Mais pourquoi ? Toujours pour brouiller la piste de Snark ? Brouiller la notion de distance en trafiquant le temps... Drôles de méthodes que celles de cette agence de voyages ! Mais tout n'était-il pas étrange depuis le début et Julia n'avait-elle pas accepté de jouer le jeu de l'absurde ? Elle avait aimé cette aura d'irréalité dont s'étaient entourés les frères Korliakov et leur île mystérieuse, inconnue des cartes. Elle s'était laissé séduire par la curieuse histoire des Snarkiens...

Elle s'aspergea le visage au lavabo minuscule de la cabine, recoiffa ses cheveux d'une main nerveuse et empoigna sa valise pour rejoindre les autres sur le pont.

Le port de Snark paraissait bien archaïque... D'ailleurs, pouvait-on parler de port en regardant ce quai de bois monté sur pilotis ?

Julia ne fut guère étonnée qu'un marin fasse à nouveau le compte des passagers à mesure qu'ils débarquaient.

À quelques pas de là, se tenait une petite foule muette, aux yeux rivés sur la passerelle. La jeune femme se demanda en quoi elle pouvait ressembler à ces gens sagement alignés le long du quai. Chacun d'entre eux paraissait être le maillon d'une même chaîne et Julia était d'avance persuadée qu'elle n'y avait pas sa place. Alors, elle songea en frissonnant au lien cruel qui unissait le loup et l'agneau...

# CHAPITRE

# VI

## TORTUES FANTAISIE...

Julia se demandait bien pourquoi, selon quels critères de sélection, on avait décidé qu'elle logerait chez les sœurs Werner. Victoire et Joséphine, des jumelles parfaites, avaient 75 ans et un faciès de tortue peu avenant.

*Encore des clones… Décidément, je suis poursuivie par la gémellité,* avait songé la jeune femme quand on l'avait présentée aux deux sœurs.

Elle défit ses bagages, suspendit ses vêtements dans la penderie de sa chambre. La pièce n'était pas très grande mais plutôt confortable. Un lit moelleux, un bureau, et puis un guéridon sur lequel on avait placé, pour l'accueillir, un bouquet de roses étranges. Les pétales étaient verts et, en soulevant les fleurs de leur vase de porcelaine, Julia avait découvert des tiges rouge sang, comme si quelqu'un s'était piqué violemment aux épines. De l'autre côté du miroir, les choses étaient inversées… Quand elle avait questionné les jumelles sur cette curieuse mutation de la flore, Joséphine avait répondu :

— C'est comme ça depuis toujours.

— Oui, avait repris sa sœur en écho, l'île a toujours été comme ça. On serait bien incapables de vous expliquer pourquoi.

— Personne ici, d'ailleurs, n'a d'idée sur la question, avait ajouté Joséphine.

Les Tortues l'avaient ensuite invitée à prendre un peu de repos.

— Après un si long voyage, vous avez sûrement besoin de vous détendre. Quand vous serez fraîche et dispose, nous vous ferons visiter notre maison, avait décrété Victoire.

Julia n'avait aucune envie de dormir mais elle appréciait de se retrouver enfin seule. Elle avait jugé quelque peu étouffant l'accueil des Snarkiens. La petite foule avait encerclé les nouveaux arrivants et le capitaine Smith avait désigné du doigt un homme qui avait alors rejoint le groupe des touristes :

— Je vous présente le Dr Georges Tellier, ancien chirurgien sur le continent, qui est en quelque sorte le président ou le maire de cette île, et le garant de la bonne santé de ses habitants.

— Le Coordinateur, avait précisé l'intéressé dans un doux sourire. Ici, il n'existe pas de gouvernement, capitaine. On m'appelle le Coordinateur, ce qui correspond exactement à mes fonctions. J'organise la vie sur l'île mais je ne la dirige pas. Bienvenue à tous !

Sur le quai, des marins débarquaient des caisses destinées aux habitants de Snark, toute une cargaison de choses que l'on ne pouvait probablement trouver que sur le continent.

Le Coordinateur avait sorti une feuille de sa poche et l'avait dépliée pour se livrer à une sorte d'appel, comme lors d'une rentrée scolaire. Pris au jeu de la discipline, chacun des voyageurs avait sagement répondu « Présent ! » en entendant son nom. À mesure, on avait sorti l'appelé des rangs et on l'avait présenté à ses hôtes. Julia s'était retrouvée entre les deux Tortues, se demandant en quoi elle leur « correspondait »…

— Vous n'aurez aucun mal à nous reconnaître, avait immédiatement souligné l'une des jumelles. Ma sœur, Joséphine, s'habille toujours en gris et moi, Victoire, je suis toujours vêtue de noir.

Pour la première fois depuis son départ, la jeune femme avait eu le loisir d'observer vraiment ses compagnons de voyage. En dehors de Julien, elle n'avait fait la connaissance d'aucun d'entre eux. En regardant passer ces gens, elle avait eu le sentiment qu'ils formaient un groupe hétéroclite. Elle avait été surprise de constater qu'une famille entière avait fait partie du voyage : un couple et leurs trois enfants, les Rescat, tous les cinq atteints d'obésité et de vulgarité. La famille d'un certain Frank Tellier, composée également de cinq personnes, était là pour les accueillir. Les autres étaient des personnes seules comme Julia.

Le groupe s'était ensuite dispersé, chacun étant parti s'installer dans son lieu de résidence. Une réunion à la taverne de Snark était prévue pour le soir afin que Snarkiens et visiteurs fassent plus ample connaissance. À cette occasion, le Coordinateur avait annoncé qu'il retracerait l'historique de la vie des Snarkiens sur cette île.

Julia avait à peine eu le temps de contempler l'herbe lumineuse des champs, au loin, que les jumelles l'avaient déjà entraînée dans leur maison, prenant soin d'elle comme d'une pierre précieuse, aimables, presque obséquieuses. L'écrin s'était alors refermé sur une odeur de renfermé, de petites vieilles négligées.

On frappa timidement à la porte de sa chambre :

— C'est nous…

— Entrez ! répondit Julia.

La porte s'ouvrit en grinçant douloureusement.

— Êtes-vous bien reposée ? demanda suavement Victoire.

— Nous ne vous dérangeons pas, j'espère ? poursuivit sa sœur sur le même ton doucereux. Sinon, on peut remettre la visite de la maison à plus tard.

— Pas du tout. Je vous suis.

Dans le sillage des jumelles au dos voûté, Julia se rappela soudain un passage d'*Alice au pays des merveilles*, celui où la Tortue « fantaisie » commence à conter son histoire : « Jadis, dit enfin, dans un profond soupir, la Tortue « fantaisie », jadis j'étais une vraie Tortue ».

*Jadis,* se dit la jeune femme, *ces deux vieilles, courbées comme sous une lourde carapace, étaient peut-être de vraies tortues…*

Elle sourit à cette pensée. Victoire et Joséphine, c'étaient là de jolis noms de tortues, finalement…

— La salle à manger, annonça Victoire. Comme son nom l'indique, c'est évidemment là que nous prendrons nos repas. Cette petite alcôve, au fond, est notre coin salon. Nous aimons y prendre le thé.

— Le café… grogna Joséphine.

— Le thé ou le café, se rattrapa sa sœur en lui jetant un regard mauvais. Ça dépend des goûts, n'est-ce pas ?

— En parlant de goûts, en profita Julia, puis-je savoir ce qui vous a amenées à me… choisir ?

— Nous n'avons encore jamais eu d'écrivain, répondit Victoire.

— Nous avions très envie d'avoir un écrivain, renchérit sa jumelle.

— Vous m'avez lue ?

— À vrai dire, non, avoua la Tortue grise.

— Mais ce n'est pas le plus important, ajouta la Tortue noire.

— Ah ? lâcha Julia en haussant les sourcils.

— Il paraît que vous êtes connue et ça nous suffit, répliqua Victoire en guise de justification.

On visita la cuisine, la salle de bains, toutes les pièces communes de la maison. En haut d'un escalier, Julia aperçut une porte cadenassée.

— Et là ? demanda-t-elle en désignant le palier.

— Là ? répéta Victoire comme un écho. Là, il n'y a rien d'intéressant.

— C'est le grenier, poursuivit sa sœur. Il est plein de vieilleries. Nous en avons verrouillé l'accès car certaines poutres à cet endroit sont rongées par la vermine et menacent de s'effondrer. Nous ne voudrions pas que nos hôtes courent le risque d'un accident mortel… Bien sûr, nous devrions faire réparer tout ça…

— Nous y songeons, conclut Victoire. Nous le ferons bientôt. Pour l'instant, c'est fermé. Inutile de tenter le diable… Nous sommes tous curieux par nature, mais la curiosité peut parfois se révéler être un bien vilain défaut.

— Un défaut mortel, précisa Joséphine.

— En effet… murmura Julia pour elle-même, se

demandant où l'avait menée sa propre curiosité.

Le cargo du capitaine Smith avait repris la mer. Le seul lien avec le continent avait disparu à l'horizon et la jeune femme en ressentait un peu d'affolement, une sensation soudaine de claustrophobie. Les algues... Elle imaginait une cohorte d'algues verdâtres, animées de mauvaises intentions, encerclant l'île de Snark comme des geôlières.

Elle détestait cette absence de liberté. Elle n'y avait pas songé plus tôt. Elle y pensait trop tard. Si elle éprouvait l'envie ou la nécessité de quitter l'île pour une raison ou une autre, elle se heurterait à la barrière infranchissable de l'Océan. Il lui faudrait attendre le retour du bateau. Elle trouvait cette idée insupportable et tenta de la chasser de son esprit. Après tout, pourquoi voudrait-elle partir d'ici avant l'heure ? L'herbe était bien d'un vert insensé et elle avait entrevu l'étrange enchaînement des plages de sable fin aux forêts, et des forêts aux prés, et des prés aux montagnes. Le climat était doux... Les Korliakov n'avaient pas menti. Quant aux habitants et aux autres touristes, elle allait bien voir... et, en attendant, le jeune Julien demeurait finalement pour elle le seul terrain connu, rassurant... Elle avait hâte de le retrouver, d'être deux dans cette solitude perdue au cœur de l'Atlantique. Insouciant ou non, l'étudiant était désormais monté à bord de la même galère que son aînée, et cette insouciance, si elle demeurait, serait comme une bouffée d'oxygène dans cet univers clos.

Chez qui le jeune homme avait-il été placé et savait-il pourquoi ? S'était-il seulement, comme elle, interrogé sur les raisons de ce choix ? Elle était curieuse de recueillir les premières impressions de Julien. Curieuse, oui, taraudée en permanence par ce « vilain défaut » parfois « mortel »...

# CHAPITRE

# VII

## KRAKEN

Qu'avez-vous pensé de la soirée d'hier, Julien ? demanda Julia.

Le jeune homme grimaça.

— Bof... L'exposé du Coordinateur était intéressant mais on n'a rien appris d'inédit sur l'île. À part peut-être que les premiers Snarkiens, les découvreurs, sont retournés sur le continent pour proposer à d'autres membres de leurs familles respectives de les suivre.

— Ce qui a été le cas des deux vieilles jumelles chez qui je loge.

— Elles n'ont pas l'air très marrantes, constata Julien. Mon hôte me semble plus intéressant. C'est un passionné de littérature et il n'est pas dénué d'humour. Je crois qu'on va bien s'entendre...

— Tant mieux pour vous. Il vous a choisi pour vos études littéraires ?

— Je crois... Je ne lui ai pas posé la question.

— Et nos compagnons de voyage ? Vous les trouvez comment ?

— À franchement parler, je ne les trouve pas. Ni vous ni moi n'avons grand-chose en commun avec eux. Quand je pense par exemple à cette affreuse famille d'obèses avec ses gosses mal élevés... Dieu merci, vous êtes là !

— Je me suis fait la même réflexion... avoua Julia.

— Bon ! On se la fait cette promenade ou on reste assis sur ce rocher comme Victor Hugo en exil ? s'exclama gaiement Julien.

Julia lui sourit, puis se leva.

— On y va !

— Enfant, dit le jeune homme, je rêvais de devenir explorateur.

— Eh bien c'est l'occasion de réaliser vos rêves d'enfant...

Ils marchèrent à travers champs, surpris de découvrir des arbres fruitiers inconnus, des fleurs aux couleurs insensées et des plantes étranges tel ce lierre sans tuteur qui poussait droit vers le ciel.

— C'est vraiment étonnant, cette végétation qui semble d'une autre planète, nota Julien en écarquillant les yeux. Vous voyez une explication à ça, vous ?

Julia secoua la tête en signe de négation.

— J'ai posé la question aux jumelles... Il paraît que l'île était déjà comme ça quand les Snarkiens l'ont découverte.

— C'est peut-être une sorte de triangle des Bermudes, s'excita Julien. Disons, une zone qui échappe au reste du monde, à la nature du reste du monde... Une île soumise à des forces inconnues...

— Vous ne pensez tout de même pas à une intervention extraterrestre ?

— Qui sait ? murmura le jeune homme, songeur. Et si les Snarkiens étaient des êtres venus d'une autre planète ?

— Et qui auraient pris notre apparence pour mieux nous coloniser, comme dans la série télé *les Envahisseurs* ? poursuivit Julia en haussant les épaules. Vous vous prenez pour David Vincent ?

— Bon, disons qu'il s'est produit ici un phénomène dont nous ignorons la nature, concéda Julien, piqué au vif. Pour un auteur de fantastique et de science-fiction, je vous trouve bien terre à terre !

— Si je ne savais plus faire la part de la réalité et de la fiction, je serais devenue folle depuis longtemps !

— Pardonnez-moi, balbutia l'étudiant, on ne va tout de même pas se fâcher ? Et si on longeait la côte, maintenant, les plages de sable fin ? On pourrait même se baigner...

— Je n'avais pas prévu cette éventualité...

— Moi, j'ai mon maillot sur moi.

Dans une petite crique, ils découvrirent ce qui semblait être le cimetière de Snark. Quelques tombes, sans dalle funéraire, juste délimitées par des cailloux et une croix de bois, s'alignaient sur la plage.

— Tiens ! ironisa Julia. Voici la nécropole de vos extraterrestres !

Julien haussa les épaules.

— Vous croyez qu'ils enterrent leurs morts à même le sable ?

— Possible, répondit Julia. Les plus anciens Égyptiens, bien avant de pratiquer l'embaumement, ensablaient eux aussi leurs morts. Le sable conserve les corps, les momifie de façon naturelle. Les Snarkiens tiennent peut-être à préserver leur dynastie de la décomposition...

— En parlant de dynastie, dit Julien, vous avez remarqué qu'il n'y a aucun enfant sur cette île ? Les plus jeunes sont déjà des adolescents.

Julia fronça les sourcils :

— Oui, en effet... Vous êtes observateur. C'est curieux...

— Quittons cet endroit, voulez-vous ? Je ne m'y sens pas à l'aise et je ne tiens pas à me baigner devant une bande de momies !

Ils continuèrent à longer la côte et aperçurent bientôt une plage sur laquelle on avait planté un panneau. Ils s'en approchèrent et lurent, écrit en lettres rouges, cet avertissement : DANGER - BAIGNADE INTERDITE.

Julien partit dans un grand rire :

— Je me demande bien où est le danger ? Regardez comme la mer est calme !

— Il y a peut-être des courants contraires, des lames de fond...

— Un bon nageur ne redoute rien de tout ça ! clama Julien. Et je suis un excellent nageur. Je vous parie que je nage sans encombre jusqu'à cet îlot qu'on voit là-bas, à une trentaine de mètres de la plage ! À mon avis, cette pancarte est là pour les enfants et les mauvais nageurs. Je ne me sens pas concerné.

— Julien, ne faites pas l'idiot ! Ce panneau a sûrement une autre raison d'être. Si vous tenez à vous baigner, il y a des tas d'autres plages...

— C'est ça... Des plages envahies par tous ces gens qui se croient au Club Med ! Merci bien !

Julia songea aux algues verdâtres de son rêve.

— Vous risquez... balbutia-t-elle. Enfin, j'ai un mauvais pressentiment.

Julien était déjà en maillot de bain.

— Vous redoutez que je sois enlevé par un extraterrestre aquatique ?

— Je vous ai vexé, tout à l'heure ?

Sans répondre, le jeune homme s'approcha du bord de l'eau. Des vaguelettes venaient lui lécher les chevilles, mourant paisiblement sur le sable. Il se retourna :

— Elle est bonne ! Excellente, même !

— Allons, soyez raisonnable, Julien ! On va trouver une autre plage déserte.

— J'ai envie d'aller voir cet îlot de plus près...

— Ce n'est qu'un gros rocher de six ou sept mètres de long sans intérêt !

— Surveillez mon jean, mon polo et mes tennis, au cas où un Martien aurait l'intention de me les piquer ! lança Julien en entrant dans l'eau.

Julia soupira et s'assit sur le sable, lasse de tenter de raisonner ce gosse infernal. Elle fixa la pancarte aux lettres de sang et sentit sa gorge se serrer.

— C'est magnifique ! s'écria Julien à une dizaine de mètres du bord de la plage, il y a des petits poissons vert fluo !

Julia, résignée, regarda son compagnon nager vers le large. Bientôt, elle le vit se hisser sur l'îlot. Il leva un bras triomphant puis cria :

— Ça glisse ! C'est gluant ! Ça bouge, Julia ! C'est... c'est vivant !

Il plongea dans l'eau et commença à crawler vers la plage. Un gigantesque tentacule le coupa dans son élan, s'enroulant autour de sa taille dans un bruit de succion. Julien battait désespérément des bras, le visage déformé par la douleur et l'effroi. Sa bouche s'ouvrait, spasmodiquement, mais aucun son n'en sortait. Son regard suppliant hurlait plus fort que n'importe quel appel au secours. Julia cria. L'îlot vivant, la bête, venait de sortir la tête hors de l'eau, exhibant des yeux larges comme des assiettes. Elle émergea presque totalement et ouvrit une bouche énorme. Ses dents, acérées comme des pieux, se refermèrent sur la tête de Julien. Le corps, décapité, continua à s'agiter dans un nuage de sang. Bientôt, le monstre s'enfonça sous l'eau en emportant sa proie. Une nappe écarlate se répandit à la surface étale de la mer et puis, plus rien, le calme absolu de la bête à nouveau immobile qui faisait le dos rond sous les rayons insouciants du soleil. L'espèce de calmar géant s'était assoupi et ressemblait de nouveau à un îlot...

Julia resta un moment interdite, la bouche ouverte, pétrifiée par l'horreur, se demandant si tout cela avait été réel ou bien si elle dormait, emportée dans la spirale vertigineuse d'un abominable cauchemar. Enfin, elle eut le sentiment de s'éveiller sans pour autant s'être endormie. Elle se leva et courut à perdre haleine, sans se retourner, vers le cœur de l'île où les Snarkiens avaient construit leurs habitations.

Au beau milieu de ce qu'il convenait de considérer comme la place du village, elle poussa un long hurlement d'horreur, comme si elle avait vu le diable en personne.

Des gens accoururent, Snarkiens et touristes mélangés en un seul point d'interrogation humain. Le Coordinateur était des leurs. Il saisit Julia aux épaules :

— Que se passe-t-il ? Parlez, nom d'un chien ! dit-il en la secouant.

— Julien... hoqueta la jeune femme. Là-bas, sur la plage avec un panneau... La bête, le monstre avec de gros tentacules à ventouses... Une espèce d'énorme calmar l'a dévoré... C'était affreux ! Il n'avait pas voulu m'écouter...

Elle se mit à sangloter.

— Le Kraken... C'est terrible... murmura le Coordinateur. Vous n'avez jamais entendu parler du Kraken ?

— Si... souffla Julia en s'essuyant les yeux du revers de la main. C'est un monstre aussi mythique que celui du loch Ness, non ?

— Le Kraken n'est pas un mythe, affirma le Dr Tellier. Il a jeté l'ancre près de nos côtes il y a déjà quelques années. Au début, on a cru à un gros rocher, une petite île, jusqu'à ce que l'un des nôtres subisse le même sort que votre jeune ami.

Richard Tellier, l'hôte de Julien, bondit alors au milieu de la foule, vociférant comme un possédé :

— L'imbécile ! Le jeune idiot ! Qu'est-ce que je vais devenir, moi ?

— Calme-toi, Richard, dit doucement le Coordinateur en jetant un regard réprobateur à l'agité. Calme-toi... Pense au partage possible... Je sais que la solution existe.

# Chapitre

# VIII

## DE L'AUTRE CÔTÉ DE LA PORTE

La mort atroce de Julien avait jeté un froid dans l'île. Les touristes s'étaient inquiétés de savoir s'il existait d'autres mauvaises surprises dont on aurait omis de les avertir. Le Coordinateur les avait rassurés : s'ils rencontraient d'autres phénomènes surprenants au cours de leurs promenades, ils n'avaient rien à en redouter. Il leur donna en exemple d'énormes champignons des bois dont le chapeau dissimulait un serpent enroulé. Il ne fallait pas craindre ces reptiles, ils étaient inoffensifs et, de plus, très peureux.

Une femme, à l'air pincé, s'était alors écriée :

— Des serpents ? Quelle horreur !

Julia, par jeu, avait enchaîné :

— C'est plus supportable que les araignées ! J'espère qu'il n'y a pas d'araignées géantes !

— Rassurez-vous toutes les deux, avait dit doucement le Dr Tellier, les serpents ne se montrent que si on les dérange de leur champignon et quant aux araignées, s'il y en a, ce sont les mêmes que chez vous.

Un homme, l'obèse aux trois enfants, s'était alors dégagé du groupe et, s'adressant à son tour au Coordinateur, avait posé la question qui brûlait les lèvres de chacun :

— Dites donc, Coordinateur de mes deux ! On peut savoir pourquoi on nous a rien dit sur le monstre ? C'est pas une pancarte « Baignade interdite » qui va arrêter les gens...

— Nous espérions que si... Vous parler du Kraken n'aurait fait qu'attiser votre curiosité. Vous y auriez cru ou non, mais vous n'auriez pas pu vous empêcher d'aller voir ça de plus près.

L'obèse avait haussé les épaules :

— Merde, tout de même ! Un pauvre gamin y a laissé la vie !

Julia, encore en état de choc, s'était inquiétée de la famille du disparu : allait-on prévenir ses parents et comment ?

— Il faudra attendre la venue du prochain bateau pour confier cette tâche au capitaine Smith... Inutile de précipiter les choses, d'autant qu'il ne subsiste rien de Julien Prieur, aucune dépouille à rapatrier ou à enterrer. Sa famille apprendra l'horrible nouvelle bien assez tôt.

Julia avait de nouveau éclaté en sanglots :

— Il avait pris ce monstre pour un îlot !

— Je vous l'ai déjà dit : autrefois, l'un d'entre nous a commis la même erreur... avait soupiré le Coordinateur. C'est après sa mort que nous avons décidé de mettre cette pancarte.

Cette nuit-là, Julia n'avait pas pu fermer l'œil, hantée par le visage déformé de Julien et les yeux hideux de la bête qui s'apprêtait à le dévorer. Elle avait imaginé avec dégoût l'étreinte visqueuse des tentacules du Kraken. Elle s'en voulait de n'avoir pas su empêcher le jeune homme d'aller se baigner. Elle aurait dû insister, se fâcher ou quitter la plage. En l'absence de spectateur, ce petit cabotin aurait certainement renoncé à son projet de rejoindre le faux îlot. Puis elle avait ensuite ressassé les paroles du coléreux Richard Tellier. L'hôte de Julien avait dit quelque chose comme « comment je vais faire, maintenant ? » ou « qu'est-ce que je vais devenir ? » La mort du jeune homme avait semblé l'irriter davantage qu'elle ne l'avait bouleversé. Le Coordinateur l'avait calmé en lui parlant de « partage ». Qu'est-ce que tout cela pouvait bien signifier ?

Julia regarda sa montre : 5 heures du matin. Les jumelles devaient dormir encore... Elle décida d'aller se préparer un café en évitant de déranger le lourd silence de la maison. Ensuite, elle ferait une balade et, quand l'heure serait convenable pour une visite, elle se rendrait chez Richard. Elle quitta sa chambre. Sur le palier, il lui sembla entendre des voix étouffées. Elle tendit l'oreille et pivota vers la gauche, face aux escaliers qui menaient au grenier. Incrédule, elle fixa la porte : le cadenas avait disparu. Elle approcha, grimpa quelques marches. Les voix provenaient bien du grenier, indistinctes mais reconnaissables ; les jumelles étaient là-haut. Que faisaient-elles dans cet endroit qui menaçait soi-disant de s'effondrer ? Julia renonça à monter davantage : les marches grinçaient et elle redoutait d'être surprise en train d'écouter aux portes... Elle rebroussa chemin et s'achemina vers la cuisine pour y préparer son petit déjeuner.

Elle s'installa dans le coin salon de la salle à

manger, à l'abri des regards si quelqu'un entrait, et décida d'attendre sagement les Tortues, dans l'espoir de surprendre quelques paroles qui auraient éclairci le mystère de leur présence dans le grenier.

Quand les jumelles arrivèrent, une heure plus tard, Julia retint son souffle. Elle vit Joséphine ouvrir le buffet à vaisselle et glisser une petite clef dans une soupière.

Julia, qui en avait assez vu, se laissa aller sur le canapé, les yeux clos, et cala son souffle sur le rythme d'un sommeil profond.

Quand Victoire, remarquant sa présence, se pencha vers son oreille pour la réveiller, la jeune femme sursauta, cligna des paupières, se frotta les yeux et simula un bâillement.

— Eh bien ? Vous ne dormez plus dans votre lit, maintenant ?

— Oh ! Excusez-moi ! J'ai passé une nuit blanche. Après la catastrophe d'hier, vous comprenez... Du coup, je me suis dit que je ferais mieux de me lever... J'ai pris un café dans le salon et...

— Vous vous êtes endormie, ma chère enfant... poursuivit Victoire.

— Il semblerait que oui, lui accorda Julia dans un sourire. J'espère que je ne vous ai pas réveillées, votre sœur et vous, en descendant ?

— Non, n'ayez crainte, nous avons le sommeil lourd.

— Surtout toi ! intervint Joséphine. Mais rassurez-vous, Julia, nous venons juste de nous lever. Vous reprendrez bien un café avec nous ?

— Volontiers.

— Installez-vous dans la salle à manger, nous apporterons le plateau.

Julia tira une chaise et prit place derrière la grande table de chêne qui trônait au milieu de la pièce. Dans la cuisine, les jumelles s'agitaient tout en se chicanant allègrement sur le dosage du café ou l'emplacement d'une petite cuillère.

La jeune femme regarda autour d'elle, détaillant les horribles bibelots qui chargeaient les meubles de leurs nids à poussière. Son regard s'arrêta sur un tableau pendu au mur qu'elle n'avait pas encore remarqué. Il s'agissait d'une reproduction de *Salomé au jardin* de Gustave Moreau. On y voyait la jeune princesse, pensive, tenant entre ses mains le plateau où reposait la tête coupée de saint Jean-Baptiste.

Joséphine déposa le plateau du petit déjeuner sur la table...

— Vous regardez le tableau ?

— Oui, j'aime beaucoup Gustave Moreau et j'ai visité plusieurs fois son musée, à Paris. Salomé est un bien curieux personnage... Quant à Jean le Baptiste...

— Nous n'avons encore jamais eu de saint, lâcha alors Joséphine.

— Comment ça serait possible, espèce d'idiote ? répliqua sa sœur. On ne devient saint qu'après sa mort !

— Tu es sûre ?

— Je crois...

— Alors disons que nous n'avons jamais eu d'homme de religion ou de bonne sœur, se rattrapa Joséphine.

Comme Julia fronçait les sourcils, Victoire lui dit dans un doux sourire :

— Nous aimons la diversité, mon enfant. Nous sommes curieuses et ouvertes au monde. Nous souhaitons recevoir, à chaque séjour, des gens différents.

— Et vous n'aviez encore jamais eu de romancière, dit Julia sur un ton ironique.

— Et maintenant nous l'avons ! lança Joséphine.

— Et des policiers ? Un inspecteur de police par exemple, vous en avez déjà eu un ?

Les jumelles se regardèrent, perplexes, puis Victoire répondit enfin :

— Non.

— Et nous n'y tenons pas ! ajouta sa sœur.

— Que dis-tu là, Joséphine ? s'énerva Victoire. Pourquoi diable refuserions-nous de recevoir un policier ?!

— Euh... balbutia Joséphine, le rouge aux joues. J'ai entendu dire que c'étaient des gens mal élevés qui n'essuyaient jamais leurs chaussures avant d'entrer et qui ne pouvaient pas s'empêcher de fouiner dans les affaires des autres.

Sa jumelle haussa les épaules puis se tourna vers Julia dans un large sourire :

— Alors, ma chérie, qu'avez-vous prévu de faire, aujourd'hui ?

— Me promener, retrouver quelques-uns des autres touristes, boire un verre à la taverne... Mais avant toute chose, je vais aller prendre une douche.

Quand Julia sortit de la maison, elle croisa Frank Tellier, l'homme qui hébergeait chez lui la famille d'obèses. Il la salua d'un hochement de tête, sans un sourire.

— Bonjour ! lança Julia gaiement. Pourriez-vous m'indiquer où habite Richard ?

— La petite maison en bois, là, près des champs, c'est là que vit mon frère, répondit l'homme en désignant une espèce de chalet.

Julia le remercia et s'éloigna d'un pas rapide. Cet homme au visage imperturbable la mettait mal à l'aise. Il avait le regard froid d'un tueur à gages.

Quand elle frappa chez Richard, il lui ouvrit, l'air maussade :

— J'étais sûr que vous viendriez. Je suis vraiment désolé pour votre camarade... Entrez... Asseyez-vous.

Julia prit place sur un fauteuil de rotin qui craquait de partout :

— Je n'ai pas très bien compris votre réaction, hier... Vous avez dit quelque chose comme « qu'est-ce que je vais devenir ? » Vous aviez l'air à la fois en colère et désemparé...

— Je me suis montré un peu excessif, c'est vrai. Ce serait exagérer de dire que je m'étais déjà attaché à ce jeune homme, mais il m'était sympathique. Ça fait longtemps que je me bagarre en pure perte pour qu'on encercle de barbelés cette maudite plage ! Et voilà le résultat ! Et puis, en m'enlevant Julien, on m'a rendu à une solitude que je déteste. Je vais devoir attendre le prochain séjour pour avoir un peu de compagnie.

— Et votre famille ?

— Bah ! Ils m'ennuient tous ! Je les connais trop.

— Rentrez sur le continent, alors...

— C'est impossible. Je veux dire... J'aime trop cette île pour la quitter.

— Je viendrai vous rendre visite de temps en temps, promit Julia.

— J'en serai ravi, répondit Richard en raccompagnant sa visiteuse jusqu'à la porte.

L'esprit soudain vacant, la jeune femme s'allongea à plat ventre dans l'herbe lumineuse du pré voisin. Le soleil lui caressait le dos, le ciel était d'un bleu pur. On avait du mal à croire au drame de la veille tant la nature semblait insouciante et calme.

Au loin, elle aperçut bientôt les Tortues et le Coordinateur qui marchaient dans sa direction. Ils ne remarquèrent pas sa présence à quelques mètres d'eux, mais elle, elle les vit nettement entrer tous les trois chez Richard Tellier avec des airs de conspirateurs.

# CHAPITRE

# IX

## LE PARTAGE

Les jumelles avaient omis jusqu'alors de faire visiter leur cave à Julia. C'était un lieu effrayant, une antichambre de l'enfer. Les Tortues, le Coordinateur et Richard l'avaient conduite malgré elle dans cet antre diabolique sans lui fournir d'explications.

Une ampoule timide se balançait au plafond voûté, jetant des ombres mouvantes sur les murs glacés de la cave. Des silhouettes imprécises glissaient le long de la pierre brute puis y disparaissaient, s'évanouissant pour resurgir ailleurs tels des spectres farceurs.

Un grand couteau de boucher pendait à un clou, la lame tachée de sang coagulé. Sur une table s'alignaient des scies et des haches aux dimensions croissantes. La lumière oscillante venait de temps à autre jeter un éclat sur le métal affûté.

« Pense au partage possible… » avait dit le Coordinateur à Richard quand Julien avait disparu. Julia s'était souvent demandé ce que ces paroles signifiaient. Maintenant, elle redoutait d'avoir compris ce qu'elles dissimulaient d'horreur…

Les quatre Snarkiens avaient fermé à clef la

porte de la cave. Ils regardaient la jeune femme avec un sourire jubilatoire où la douceur se mêlait étrangement à la cruauté. Les ombres continuaient à danser et les lames à étinceler. Cette cave ressemblait à une salle des tortures digne d'Edgar Poe... Julia se retenait tant bien que mal de hurler, de peur d'exciter les quatre fauves qui la cernaient.

— Pourquoi m'avez-vous amenée ici ? Que voulez-vous ?

Tous les regards s'étaient tournés vers le Dr Tellier, lui concédant tacitement la parole.

— Notre pauvre Richard a perdu son invité, comme vous le savez... Les jumelles Werner ont accepté de vous partager avec lui. C'est moi qui vais opérer...

— Opérer ?

— Eh bien oui, nous allons vous couper en deux. Richard, attache-la et allonge-la sur la table d'opération ! Victoire et Joséphine, quel profil préférez-vous garder ?

Richard Tellier, fort comme un taureau, avait obéi aux ordres de son parent sans laisser à la jeune femme l'occasion de se débattre.

— Vous êtes fous ! Vous êtes tous dingues !

— Ayez confiance en moi... Je suis chirurgien de formation. Un peu de chloroforme et vous ne sentirez presque rien... Et vous verrez, on peut très bien vivre dédoublé, avec des moitiés d'organes et un seul rein. Je recoudrai tout ça et, pour finir, une prothèse de plastique viendra fermer chacun de vos profils.

— Détachez-moi ! Laissez-moi partir !

Le docteur avait déjà sorti de sa poche un flacon d'anesthésiant.

— Allons, calmez-vous ! Je vais vous offrir deux
vies au lieu d'une ! N'est-ce pas magnifique ? Évidemment, il y a un petit inconvénient. Chacune
d'entre vous ne disposera plus que d'une jambe et
d'un bras et vous devrez vous déplacer en fauteuil
roulant, et puis vous serez borgne. De plus, par la
séparation des deux cerveaux que je vais devoir
effectuer, l'une sera plutôt pragmatique et l'autre
imaginative. Richard ? Veux-tu bien tracer au marqueur la ligne de partage sur le corps de notre
amie ? Et vous, les jumelles, vous avez fait votre
choix ? Victoire ?

— Les deux profils se valent, pour nous...
Richard n'aura qu'à choisir.

La pointe du marqueur rouge avait déjà partagé
en deux le visage de Julia et le Coordinateur exa-
minait les scies, l'air dubitatif.

Les yeux exorbités, Julia gigotait, tentant désespérément de se libérer de ses liens. Richard commençait à s'énerver :

— Arrêtez de bouger comme ça ! Sinon, la
coupe ne sera pas droite ! Vous venez de me faire
dévier !

Le Dr Tellier, scie en main, s'était approché :

— Vous êtes une vilaine fille, pas du tout raisonnable ! Pour vous punir, je vais opérer sans
anesthésie. Et ne me causez pas le désagrément de
mourir en cours d'intervention ! Pousse-toi,
Richard, je vais me débrouiller, j'ai l'habitude et le
compas dans l'œil...

Julia sentait sur son crâne les dents glacées de

la scie. Pétrifiée par la terreur, elle regardait fixement une ombre, une silhouette, se dessiner au plafond, s'extirper de la pierre avec effort. La scie avait commencé d'entamer son cuir chevelu. La jeune femme serrait les dents. La silhouette se tenait maintenant debout auprès de la table d'opération :

— Arrête ça tout de suite, Georges !

La voix semblait provenir d'outre-tombe. Un visage s'était formé, dépourvu de corps, celui d'un homme encore jeune, aux cheveux blonds et aux yeux bleu nuit. Ses lèvres fines s'agitaient au creux de l'oreille du bourreau de Julia.

— Laisse-la ou je t'envoie immédiatement en enfer !

Le Coordinateur avait lâché son outil et tremblait de tous ses membres.

— Pourquoi es-tu revenu ? Laisse-nous vivre en paix. Tu es mort, tu entends ? Mort !

— Je ne le sais que trop bien... M'avez-vous laissé vivre en paix, monstres que vous êtes devenus ! Tant que l'un d'entre vous continuera à vivre sur cette île, je ne trouverai pas la paix. Vous ne pourrez jamais me tuer une seconde fois !

Le visage commençait à s'effacer tout doucement comme un dessin que l'on gomme, laissant derrière lui un sourire en filigrane. La scie avait fondu et disparu dans la terre battue de la cave.

Les quatre Snarkiens se penchaient maintenant sur Julia :

— Nous n'avons pas peur des fantômes ! répétaient-ils en chœur, comme une litanie. Nous n'avons pas peur des fantômes !

Déjà, le Dr Georges Tellier s'était emparé d'une autre scie...

Julia s'éveilla en hurlant, la peau poisseuse, gluante comme une algue. Elle se toucha le crâne, le front, à la recherche d'une entaille. Sa conscience naviguait encore entre deux eaux, diluant la réalité dans un magma de confusion. Où était-elle ? Avait-on essayé de la « partager » ? Qui était l'homme blond qui avait voulu la sauver ?

Bientôt, elle émergea du malaise qu'avait causé le rêve, reconnut les murs de sa chambre et se leva pour constater qu'elle était bien entière, indissociable d'elle-même, unique.

Lors du petit déjeuner, elle ne put cependant s'empêcher de demander aux jumelles si elles possédaient une cave.

— Oui, nous y conservons des vivres, avait répondu Victoire en toute innocence. Vous n'avez pas remarqué la trappe, dans la cuisine ? Elle s'ouvre sur un escalier qui mène à la cave. Allez la visiter, si vous le souhaitez ! Je vous promets, si ça vous tente, que vous y trouverez du bon vin...

— Elle nous sert de réfrigérateur, avait précisé Joséphine. Nous limitons ainsi les dépenses inutiles d'énergie. L'électricité de l'île provient de générateurs... Il faut savoir être économe, pour ne jamais manquer de lumière avant la prochaine livraison de carburant. Chaque maison a sa cave, c'est obligatoire.

— Au fait, était intervenue Victoire, nous allons ce matin faire notre cueillette hebdomadaire de fruits et légumes. Voulez-vous nous accompagner ? Nous serons de retour pour le déjeuner.

— Vous auriez dû m'avertir ! J'aurais tellement aimé être des vôtres. Hélas, mentit Julia, j'ai rendez-vous ce matin pour une baignade avec un type complètement farfelu, vous savez, le Pr Bachelier, l'inventeur...

— Ce n'est pas grave, vous viendrez la prochaine fois, ma chérie... avait répondu Victoire.

Maintenant, Julia était seule dans la maison silencieuse, le regard aimanté par le buffet de la salle à manger. « Nous serons de retour pour le déjeuner... » Les jumelles avaient un emploi du temps réglé comme du papier à musique ; à midi, elles mettaient le déjeuner en route et à la demie, on passait à table. Ce qui laissait à Julia trois heures de solitude devant elle... Par sécurité, elle misa sur deux heures... Elle laissa s'écouler une dizaine de minutes au cas où les sœurs Werner rebrousseraient chemin pour réparer un quelconque oubli, puis elle ouvrit le buffet à vaisselle, souleva le couvercle de la soupière et attrapa la petite clef dorée du cadenas qui fermait l'accès au grenier.

Le cœur battant, sans souci cette fois du craquement sinistre des vieilles marches de bois, elle gagna la porte qu'on lui avait interdite et l'ouvrit.

Elle resta un instant pétrifiée à l'entrée de la pièce, tant sa surprise était grande. Le grenier, en parfait état, aurait pu être qualifié de musée. La collection des jumelles aurait pu rivaliser avec celle du musée Grévin. À un détail près... Les sœurs Werner se contentaient de façonner la tête de leurs modèles. Des dizaines de masques de cire s'alignaient sur des étagères. Chacun reposait sur un socle de pierre étiqueté. On pouvait ainsi lire :

« Avocat », « Infirmière », « Institutrice »,
« Médecin », « Sénateur »... Le regard de Julia
s'arrêta sur la tête qui portait sur son étiquette le
mot « Traître »... Elle crut défaillir en reconnais-
sant l'homme de son rêve, le fantôme blond qui
était intervenu dans son cauchemar pour la sauver...

Au fond de la pièce, un chaudron rempli de cire
figée trônait sur une énorme cuisinière à bois.
Dans un placard, Julia découvrit des barils marqués
« cire vierge » et une caisse remplie d'yeux de
verre de toutes les couleurs. Sur une étagère s'alignaient divers instruments dont elle ignorait l'usage.
Tout cet attirail avait toutefois quelque chose de
médical : crochets, scalpels, seringues, produits chi-
miques...

Elle tourna plusieurs fois sur elle-même : elle
avait le sentiment d'être observée par les figures
de cire du grenier. Ces têtes étaient si réalistes
qu'on aurait pu les croire vivantes, près de parler.
Julia virevoltai sottement comme pour saisir à la
volée un sourire, une grimace, une expression
nouvelle sur l'un de ces visages inanimés. Ils semblaient tous trop parfaits pour être vrais.
D'instinct, elle saisit un scalpel et commença à
gratter la joue gauche du Traître. Un morceau de
cire s'en détacha, découvrant une autre couche,
grisâtre et sèche. Elle racla la matière et dégagea
un lambeau de ce que la cire avait dissimulé. Avec
horreur, elle remarqua que des poils de barbe
trouaient le tissu qu'elle avait découvert et qui
n'était autre qu'un morceau de peau tannée,
comme momifiée...

# CHAPITRE

# X

## LES REINES DE CŒUR

*Nous n'avons jamais eu d'écrivain...* Il fallait se rendre à l'atroce évidence : les jumelles, comme la Reine de Cœur dans *Alice,* étaient obsédées par les têtes à trancher. Pire, elles les coupaient pour de bon et les collectionnaient. Julia s'imagina un instant vidée de son cerveau, énucléée, prête à recevoir des yeux de verre et à plonger dans la cire brûlante. Elle n'avait pas prévu de finir sa vie sur une étagère dans le grenier de deux vieilles folles. Elle avait certes légué son corps à la science, mais certainement pas à celle, toute particulière, des jumelles Werner. Elle revit les haches de son cauchemar, puis songea à la reproduction de *Salomé au jardin.* Joséphine et Victoire, qui au quotidien se chicanaient pour un rien, étaient siamoises dans leurs horribles desseins.

Julia avait remis en place le morceau de cire qu'elle avait arraché au visage du Traître ; c'était à peine si on remarquait un léger craquèlement à l'endroit qu'elle avait découpé au scalpel. La clef du cadenas avait rejoint sa soupière. Tout était en ordre bien avant le retour des deux sœurs. La jeune femme quitta la maison sans les attendre.

Dans un premier temps, elle décida spontanément de confier sa macabre découverte au Coordinateur, puis son rêve de la nuit passée revint à l'assaut, la stoppant net dans son élan. *Tous frères !* avaient dit les frères Korliakov. *Telle est la devise des Snarkiens...* Non, elle ne pouvait pas prendre le risque de faire confiance à Georges Tellier. Le premier soir, elle avait rencontré à la taverne un couple sympathique, Angela et Vincent Werner. Elle avait eu envie de les revoir, de s'en faire des amis... Ils recevaient chez eux une musicienne, une grande femme aux yeux bleus, très introvertie. Quand Julia avait tenté d'engager la conversation avec elle, Constance Fisher s'était contentée de répondre par oui ou par non à ses questions. Tout ce qu'elle avait appris de cette femme, c'était qu'elle était premier violon dans une formation baroque. Parmi les touristes, Constance était pourtant la seule personne avec Julien que Julia estimait digne d'intérêt.

*Tous frères !* se répéta-t-elle comme pour édifier entre elle et les Snarkiens une barrière insurmontable. *Tous frères et tu n'es pas des leurs, Julia Stenzo ! Tu dois aussi te méfier de ceux qui te paraissent sympathiques... Angela et Vincent sont de la même race que les Tortues...*

Quant aux touristes, à quoi bon les alarmer ? Si jamais ils accordaient un peu de crédit à son histoire, cela ne servirait qu'à déclencher une vague de panique. Tous voudraient, en pure perte, se jeter sur le voilier que les Snarkiens avaient amarré avec une chaîne, cadenassée à une borne du port. Le silence était pour l'heure l'unique solution.

Autour de l'île, l'Océan était vaste. La liberté s'étendait à perte de vue, inaccessible. Snark était une prison sans barreaux, un peu comme un remords qui vous hante.

Julia décida que désormais, elle ne s'endormirait pas sans avoir bloqué avec une chaise la porte de sa chambre.

Elle vagabonda aux alentours des habitations. Les touristes semblaient avoir déjà oublié la mort tragique de Julien. La famille d'obèses avait envahi le minigolf. Sur la plage la plus proche, Constance Fisher s'adonnait à la bronzette et, à quelques mètres d'elle, des gens se baignaient. Le Pr Bachelier scrutait l'herbe d'un pré avec une loupe.

Julia s'éloigna de cette petite foule insouciante et s'enfonça dans les profondeurs de l'île, traversant champs et forêts, escaladant les rochers qui jetaient des éclats de quartz sous le soleil au zénith.

Sans l'avoir voulu, elle se retrouva bientôt dans la crique que les Snarkiens avaient transformée en nécropole. Julien n'était plus là pour l'empêcher d'aller voir les tombes de plus près... En une dizaine d'années, très peu d'habitants étaient morts. Elle lut les noms qu'on avait gravés sur les croix de bois : Édouard Tellier, Madeleine Werner, Gérard Tellier, Pierre Werner... On avait volontairement omis de mentionner leurs dates de naissance et de décès. Des cailloux, comme elle l'avait déjà remarqué, délimitaient l'emplacement de chaque corps. Elle fut surprise de découvrir un espace plus vaste, ceint de silex, à l'écart des autres sépultures. La croix qui le surplombait ne portait aucun nom. *La tombe des soldats inconnus de Snark...* songea Julia dans un sourire forcé. Elle entra dans l'enceinte des cailloux et commença à creuser avec ses doigts. Trois centimètres de sable seulement la séparaient d'une sorte de plaque de métal qui sonnait creux, pas plus épaisse que de la tôle ondulée. Elle sortit du périmètre de silex et dégagea le sable au pied du tombeau. Elle jeta un regard inquiet autour d'elle, puis, la saisissant à deux mains, elle souleva la plaque, scrutant l'intérieur du caveau qui n'était pas creusé à même le sable mais cimenté. Une odeur de putréfaction la saisit à la gorge. Au bord de la nausée, elle aperçut des corps entassés pêle-mêle. Certains n'avaient plus de tête... Elle lâcha la plaque de métal, épouvantée. Une fosse commune... Mais qui étaient tous ces gens dont la chair putride, pour les cadavres les plus anciens, se mélangeait en un magma informe ? Ni Werner, ni Tellier... Alors qui ? *Moi,* songea Julia avec effroi, *le Pr Bachelier, Constance Fisher et les autres... Moi, décapitée.*

Elle leva les yeux au ciel, comme pour chercher un secours dans l'azur qui triomphait, de toute sa clarté, au-dessus de l'île. Décidément, le ciel était trop bleu, l'herbe trop verte, le sable trop fin : du mensonge en trompe l'œil, du paradis de carton-pâte... Une sensation de claustrophobie l'envahit, la serrant à la gorge comme des mains d'étrangleur. Des monstres, les Snarkiens devaient être des monstres... Où fuir ? Une île était un cercle vicieux, un serpent qui se mordait la queue... Julia avait envie de courir à perdre haleine, sachant pourtant que cela ne la mènerait nulle part. Nulle part ailleurs qu'à Snark...

Où se cacher, alors, et quand ? Comment échapper aux deux vieilles Tortues et à leurs frères ? Se cacher, attendre l'arrivée du prochain bateau ? Se cacher, mais pas trop tôt pour ne pas éveiller les soupçons. Se cacher, mais pas trop tard...

Elle laissa le cimetière derrière elle et décida de quitter les sentiers battus pour s'enfoncer dans la jungle de fougères et de ronces d'une zone apparemment inexplorée ou laissée à l'abandon. Elle arracha une branche d'un arbre et s'en servit de bâton pour faucher devant elle la végétation luxuriante, se frayant un chemin dont elle ignorait où il la mènerait.

Des oiseaux criards cisaillaient le ciel. Leurs vastes ailes jetaient de temps à autre une ombre épaisse au-dessus de la tête de Julia. Elle crut reconnaître la robe noire et le bec jaune d'un merle, mais elle n'en avait jamais vu d'aussi gros. Elle pensa s'être trompée et qu'il s'agissait d'un corbeau. Dans un arbre, elle repéra un nid dont le diamètre devait bien faire une soixantaine de centimètres. Un couple de rouges-gorges l'occupait. Julia n'avait aucun doute sur la race de ces oiseaux mais, curieusement, ils avaient la taille d'un jeune poulet... Une loupe géante, tenue par le bon Dieu, semblait grossir la végétation et la faune de l'île. La jeune femme arrêta son regard sur une chenille verte, longue d'une vingtaine de centimètres, qui rampait sur un tronc de pin.

— Le Ver à soie de la petite Alice, dit-elle à voix haute pour conjurer la peur qui commençait à lui nouer l'estomac.

Elle imagina la chenille, assise sur un champignon, en train de « fumer paisiblement un long houka »...

Elle se sentait aussi perdue que la jeune héroïne de Lewis Carroll quand elle se retrouve minuscule dans un monde géant après avoir avalé le flacon étiqueté « BOIS-MOI ». Elle continua d'avancer sans se retourner.

Soudain, elle poussa un cri. Un papillon, large comme un cerf-volant, venait de lui frôler la joue, laissant sur sa peau un peu de poudre rouge et jaune.

*C'est moi qui fait figure d'insecte dans cet univers,* songea-t-elle avec terreur en croisant quelques-uns des champignons à serpents dont avait parlé le Coordinateur.

Jusqu'à présent, elle n'avait rencontré que des animaux inoffensifs. Si leur taille s'était outrageusement développée, leur instinct, lui, était demeuré identique. Mais qu'adviendrait-il si elle se retrouvait nez à nez avec une bête à la nature moins pacifique ? Que ferait-elle face à un sanglier ou à un loup gros comme un éléphant ? Elle se retourna pour estimer le chemin qu'elle avait accompli : les fougères et les ronces se courbaient à perte de vue. La végétation ne s'était, bien heureusement, pas refermée sur son sillage. Elle pourrait ainsi retrouver sans se perdre les habitations de Snark.

Elle arriva bientôt dans une sorte de clairière, couverte de brindilles et bordée d'arbres morts que le vent ou la foudre avait dû abattre. Au centre, une pierre brillait d'un éclat de diamant. Hypnotisée, Julia approcha. Soudain, elle sentit le sol se dérober sous ses pas. Elle perdit l'équilibre et glissa dans un trou. *Un piège !* eut-elle le temps de penser. Un tapis de mousse épais amortit sa chute. Incrédule, elle leva les yeux vers le ciel : la fosse avait près de trois mètres de profondeur. Comment allait-elle sortir de là ? Elle ne put s'empêcher de penser au Lapin Blanc toujours pressé et à la chute vertigineuse d'Alice dans le terrier...

# DEUXIÈME PARTIE

## LE CAHIER DU FANTÔME

# CHAPITRE

# XI

## L'AMI D'OUTRE-TOMBE

C'était une sorte de grotte souterraine qu'inondait le soleil... Sur le sol, Julia remarqua la présence d'une échelle de bois. Elle poussa un soupir de soulagement. Quand elle se leva du tapis de mousse qui avait amorti sa chute, elle aperçut, sur sa droite, une petite pancarte qui disait « J'espère que vous ne vous êtes pas fait trop mal ? » Surprise, elle marcha plus avant dans la caverne, l'échine courbée sous le plafond bas. Une nouvelle inscription annonçait « Continuez, je vous attendais... »

— Il y a quelqu'un ? cria la jeune femme.

— Qu'un... Qu'un... répondit l'écho de sa propre voix.

Elle avança encore vers une zone où la lumière se faisait plus discrète. Une dernière pancarte l'attendait au fond de la grotte : « Il y a un coffre à vos pieds. Ouvrez-le et lisez d'abord la lettre que vous allez y trouver. »

Julia se rappela les jeux de piste de son enfance, ces fabuleuses chasses au trésor qui l'égaraient dans la forêt de la petite ville où elle avait vu le jour. Mais là, il ne s'agissait pas d'un jeu. Elle hésitait à ouvrir le gros coffre de bois aux ferrures ternies par le temps. Et si c'était un piège ? Elle se pencha sur le couvercle et y découvrit un nouveau message « Ouvrez-moi, vous n'avez rien à craindre. » Elle posa son oreille contre le coffre, redoutant une présence vivante, cogna trois coups secs contre le bois puis se décida enfin à soulever le couvercle. Elle trouva l'enveloppe annoncée et la décacheta d'une main fébrile. Dans le coffre, il y avait également une lampe tempête, un bidon de pétrole, un couteau, une boussole, un minuscule réchaud à gaz nanti de sa cartouche, un briquet, une gamelle, de la corde, une couverture, un stylo et un cahier. Une sorte de kit de survie probablement accompagné de son mode d'emploi...

Julia déplia la lettre, qui était datée du 19 octobre 1994.

*Chère inconnue,*
*(Je vous imagine déjà fronçant les sourcils. Comment puis-je savoir que c'est une femme qui lira ce message ?)*
*Ne soyez pas étonnée. Je suis un habitué des rêves prémonitoires et je me suis rarement trompé dans mes prédictions. J'ignore votre nom mais dans mon sommeil, c'est une jeune femme blonde qui m'est apparue et elle me ressemblait comme une sœur. Je sais que cet endroit ne sera jamais découvert par un Snarkien mais par vous. Il a dû vous falloir beaucoup de courage pour accéder jusqu'ici, dans ma tanière qui sera bientôt la vôtre.*
*Je m'appelle Denis Werner (vous trouverez glissée dans le cahier ma carte d'identité) et je vais mourir*

aujourd'hui entre le moment où la pleine lune se lèvera et celui où elle se couchera. Je n'en peux plus de vivre caché et traqué. Je baisse les armes et vous les remets.

Depuis votre arrivée sur l'île, beaucoup de questions doivent se bousculer dans votre esprit. Vous trouverez les réponses dans le cahier où j'ai relaté l'histoire de cette maudite île et de ses habitants.

Passionné d'astronomie (et par ailleurs de géologie), j'ai établi un calendrier lunaire pour les vingt années à venir. Il vous sera très utile. Je l'ai glissé à la fin du cahier où vous trouverez aussi une liste des fruits, légumes et plantes comestibles qui vous aideront à tenir le siège. Je ne suis pas très doué en dessin mais j'espère que mes croquis seront suffisamment éloquents.

J'aimerais être à vos côtés, mais au moment où vous lirez cette lettre, je serai déjà dans la fosse commune du cimetière de Snark...

Ne montrez mon cahier de notes à personne. Vos compagnons de voyage nous prendraient vous et moi pour des fous. Sachez que vous ne pouvez avoir confiance qu'en vous-même et en moi. Si vous parvenez à quitter Snark saine et sauve, ce sera pour moi une victoire sur ceux qui étaient autrefois les miens. Si vous réussissez à regagner le continent, n'espérez pas convaincre les autorités ou qui que ce soit de la véracité de cette histoire. Nous aurons gagné une bataille mais la guerre continuera car nous ne sommes pas de taille à terrasser la malédiction qui plane sur cette île.

Bonne chance ! Soyez prudente... mon rêve ne m'a pas donné l'issue de votre aventure...

Denis Werner, un ami d'outre-tombe.

Julia, troublée, s'empara du cahier et s'empressa d'en retirer la carte d'identité de Denis Werner. Elle l'ouvrit et crut un instant qu'elle rêvait en découvrant le visage du Traître, du fantôme de son cauchemar. Quelle étrange histoire... Quelques années plus tôt, l'homme l'avait vue dans ses songes et, elle, aujourd'hui, avait à son tour rencontré l'inconnu dans son sommeil. Comment était-ce possible ? Si le corps de Denis Werner participait à ce jour au magma putride de la fosse commune de la crique, son esprit devait, lui, continuer à hanter l'île. Elle en sentait la présence muette, impalpable, flottant dans l'air humide de la grotte. L'ami d'outre-tombe n'était pas mort en paix. Il avait des comptes à régler avec les vivants. Il attendait d'elle qu'elle soit le corps qu'il n'avait plus, qu'elle agisse pour lui, qu'elle le venge... en sauvant sa propre peau.

Elle se rappela l'histoire de la ferme Berthier que ses parents lui avaient contée dans son adolescence. On disait que cette maison campagnarde était hantée. Le père Berthier en était absolument certain, tant et si bien qu'il avait déménagé et tenté, en vain, de vendre sa propriété. Sa femme était censée l'avoir quitté sans laisser d'adresse. Le vieux, désormais seul, avait pris la fuite, las des portes qui claquaient sans raison, du feu qui prenait tout seul dans la cheminée et des assiettes qui traversaient la cuisine pour s'écraser contre les murs comme des météores. Un spécialiste du paranormal, intéressé par le cas Berthier, était venu visiter la ferme, un pendule à la main. Ses investigations l'avaient conduit à la cave et le médium avait désigné un endroit sur le sol de terre battue. En creusant, on avait découvert le cadavre de Mme Berthier. Son mari, qui l'avait assassinée, n'avait pas tardé à avouer son crime. Son meurtrier en prison et sa dépouille décemment enterrée, le fantôme avait quitté la maison à jamais... Adulte, Julia avait tiré un roman de cette histoire à laquelle elle avait cru dur comme fer. Ses parents eux-mêmes l'avaient assurée qu'ils avaient assisté à certains phénomènes étranges. Berthier était leur voisin et, un soir où les Stenzo étaient venus le voir pour régler avec lui un problème de clôture mitoyenne qui nécessitait quelques réparations, ils avaient vu, de leurs yeux vu, les assiettes s'envoler et les chaises marcher toutes seules. Le père et la mère de Julia n'étaient pas des illuminés mais de braves gens plutôt pragmatiques. Elle n'avait jamais remis en cause leur témoignage et aujourd'hui encore, elle croyait aux esprits, à une survivance de l'âme après la mort.

Durant quelques années, elle s'était d'ailleurs laissé entraîner dans des séances de spiritisme qui avaient fini par l'effrayer et la rendre paranoïaque. Elle avait eu, en fin de compte, le sentiment d'avoir pénétré par effraction un domaine interdit. La peur était devenue plus forte que la curiosité. Chaque jour, elle s'imaginait cernée d'esprits voyeurs qui la suivaient jusque dans sa salle de bains. Durant plusieurs mois, elle ne s'était jamais dévêtue sans avoir tout d'abord intimé l'ordre aux fantômes de se retourner... « Je sais que vous êtes là ! clamait-elle en scrutant l'invisible. Cessez de me regarder ! Partez ! Retournez d'où vous venez ! »

Au départ, elle s'était décidée à faire tourner les tables et marcher les verres pour poser aux morts des questions fondamentales sur l'au-delà. Et puis, de peur d'entendre des réponses qu'elle redoutait, elle s'était cantonnée à de banals interrogatoires sur le passé de ses interlocuteurs d'outre-tombe. Un soir, elle avait cependant osé demander à l'un d'eux : « Êtes-vous heureux, là où vous êtes ? » Le verre s'était lourdement déplacé vers le « OUI »... Julia s'était alors posé une nouvelle question : et si quelqu'un ou quelque chose, une force supérieure, avait obligé l'esprit à répondre par l'affirmative, lui interdisant de dévoiler l'enfer où il menait une seconde existence ?

À compter de ce jour, elle avait arrêté ses séances de spiritisme, convaincue de ne jamais pouvoir accéder à la vérité, incapable qu'elle était de dissocier le mensonge de la réalité... À ce jeu-là, elle savait qu'elle risquait de devenir folle. « J'attendrai ma propre mort pour savoir, avait-elle annoncé à ses camarades spirites, j'arrête tout. » De toute façon, elle redoutait autant la perspective d'une vie dans l'au-delà que celle du néant... Elle avait décidé de prendre le présent à bras-le-corps, laissant dormir les mystères de son âme dans un tiroir de son cerveau fermé à double tour. Et voilà qu'aujourd'hui, son passé la rattrapait en la personne de Denis Werner, en l'esprit du défunt Denis Werner...

Elle regarda à nouveau la photographie de l'homme. Cette ressemblance de grand frère, qui ne lui avait pas de prime abord sauté aux yeux, lui paraissait maintenant évidente. Les cheveux, le regard, la forme du visage... Denis Werner semblait être son double au masculin, à tel point qu'elle se demanda bêtement si elle n'était pas la réincarnation du disparu. Elle se traita d'idiote, songeant qu'à la mort de ce faux parent, elle était déjà une jeune femme et non un embryon... De plus, elle refusait de croire à la métempsycose. C'était une éventualité, parmi l'infinité des possibles, qui l'effrayait : elle avait appris à s'aimer telle qu'elle était et n'aurait jamais pu s'imaginer dans la vie et dans la peau de quelqu'un d'autre.

Elle retira du coffre le couteau à cran d'arrêt du disparu et le glissa dans la poche de son jean.

— OK, Denis, je marche avec toi, dit-elle à voix haute.

Elle s'assit dans un halo de lumière et ouvrit le cahier sur ses genoux. Tandis qu'elle commençait sa lecture, une drôle d'impression l'envahit. Comme si quelqu'un, penché sur son épaule, suivait la course de ses yeux sur le papier jauni...

# CHAPITRE

# XII

## POUSSIÈRES VERTES

**B**ientôt, ils auront ma peau, c'est inévitable. C'est peut-être même un Werner qui tuera Denis Werner ! Vincent, mon frère, Angela, ma belle-sœur, Victoire ou Joséphine, mes tantes... Allez savoir ! Ils représentent tous pour moi un danger mortel.

Je ne mourrai pas sans avoir consigné par écrit ce qui est arrivé sur cette île le 6 août 1994 et quelle catastrophe cet événement a provoquée.

« Je suis une légende », comme le dernier humain du livre de Richard Matheson. Les autres sont devenus des monstres mais je représente désormais sur cette île la minorité et, par conséquent, l'anormalité... À leurs yeux, JE suis un monstre !

Je me sens traqué, prisonnier de cette grotte où j'ai élu domicile. Je ne pourrai pas vivre bien longtemps dans cette solitude pesante sans devenir fou. Alors, oui, quand j'aurai acquis la certitude d'avoir dit à ce cahier tout ce que je sais et suppose, je me livrerai à ceux qui, autrefois, étaient les miens, ma famille, mes amis, les Snarkiens.

Nous aurions peut-être dû, dès le début, nous méfier de cette île sortie de nulle part, ignorée des cartes, comme née du néant pour nous accueillir et nous séduire. À moins qu'elle n'ait existé de toute éternité, invisible pour tout autre que nous... Longtemps, je me suis demandé comment Snark était « possible ». Depuis le temps que des milliers de bateaux chevauchaient les océans ! Le moindre îlot de cette planète semblait figurer sur les mappemondes depuis des lustres et des lustres... Quand j'ai émis des doutes sur la virginité de cette île, Georges Tellier m'a répondu : « Tu peux scruter à la loupe toutes les cartes que tu voudras, cette terre n'existe pour personne d'autre que nous ! C'est une aiguille dans une meule de foin... On a pu passer à côté sans jamais la croiser depuis le début des temps. » L'explication du docteur me paraissait improbable et j'ai persisté à penser que Snark était remontée des abysses marins rien que pour nous... dans une coïncidence d'espace-temps entre sa position et celle de notre voilier. Oui, nous étions peut-être passés là, à ces longitude et latitude précises, au bon moment. Peu importe désormais le pourquoi du comment.

Nous avons colonisé et baptisé l'île. Quelques-uns d'entre nous sont retournés sur le continent pour proposer à nos parents qui y demeuraient encore de se joindre à notre communauté. Certains ont refusé, d'autres sont venus, des vieux surtout, qui n'avaient plus rien à faire ou à perdre sur cette Terre. En une décennie, les familles Tellier et Werner se sont mêlées, assurant une descendance à la race des Snarkiens. À ce jour, il n'y a plus d'enfants en bas âge sur cette île. Les plus jeunes ont une dizaine d'années et il s'agit de la progéniture de Frank Tellier qui a épousé ma cousine Cécile. Les autres gosses sont morts comme moi-même je périrai...

L'île d'aujourd'hui ne ressemble plus à celle que nous avons autrefois découverte. Elle a subi de curieuses métamorphoses et ses habitants avec elle, moi et les gosses disparus exceptés... Les petits, eux, n'étaient pas en âge de mentir et de jouer la comédie. Une terreur instinctive sortait de tous les pores de leur peau, dispensant autour d'eux une odeur musquée de bête traquée. Ils n'avaient guère les moyens de tromper les monstres. Moi, j'avais la parole à mon service et un esprit d'analyse et de synthèse rapide et sûr. J'ai pu donner le change un certain temps, refoulant ma peur et mon étrangeté aux confins de mon être, soignant les apparences pour ressembler à ceux que je ne reconnaissais plus.

Richard Tellier est mort le 4 août 1994 d'une chute dans ses escaliers. Il était ivre, comme d'habitude. Je détestais cet homme depuis des années, le tenant pour responsable du suicide de ma sœur. Julia partageait l'existence de cette brute dont elle était tombée amoureuse en un temps où Richard n'avait pas encore sombré dans l'alcool. Ses prétentions d'écrivain n'ayant abouti qu'à des brouillons inachevés, Tellier s'est mis à boire et à frapper ma sœur. Julia avouait ne pouvoir vivre ni sans lui ni avec lui. Elle s'est tranché les veines, acculée par cet insoluble paradoxe. Je n'ai jamais pardonné Richard, cet égoïste prétentieux et aigri qui a conduit ma jeune sœur à la mort.

On a enterré (je devrais dire ensablé) ce salaud le 6 août. Je me suis abstenu, bien évidemment, de l'accompagner jusqu'à sa dernière demeure et, comme les enfants trop jeunes pour participer aux funérailles, je suis resté chez moi.

Julia leva les yeux du cahier, bouleversée. Denis avait eu une sœur qui portait le même prénom qu'elle et elle se demandait s'il s'agissait là d'une pure coïncidence ou d'un signe... Par ailleurs, le Richard Tellier dont parlait Werner ne pouvait être le même que celui qu'elle connaissait et qui était bien vivant. Un homonyme, probablement... Il ne pouvait en être autrement, même si les deux Richard, selon Denis et les confidences du pauvre Julien, avaient l'un comme l'autre un goût prononcé pour la littérature.

*J'étais l'unique adulte à bouder le cimetière de la crique. Je suis resté assis dans un fauteuil de mon salon, à ne rien faire, les fenêtres closes pour repousser la canicule de ce début août. Je pensais à Julia, enfin vengée.*

*Sur le coup de 4 heures de l'après-midi, alors que la procession avait dû atteindre la crique, une étrange lueur verte a envahi le ciel. Je me suis levé pour observer le phénomène derrière ma fenêtre. Une infinité de particules verdâtres, légères comme des cendres, tombaient en pluie sur l'île. Lorsqu'elles touchaient le sol, elles disparaissaient comme autant de gouttes d'eau avalées par la terre. Quand je suis sorti de chez moi, il n'y avait plus trace dans le ciel de la lumière verte. Seule la pleine lune se dessinait toute pâle dans l'azur. L'herbe de mon jardin m'est apparue plus colorée que nature, presque lumineuse. J'ai décidé d'aller à la rencontre des autres Snarkiens et me suis dirigé vers le cimetière, me demandant s'ils avaient eu la même vision. Le corps de Richard devait maintenant reposer dans son cercueil de sable. C'est Georges Tellier qui* avait instauré ce type d'inhumation dans notre communauté, une pratique empruntée aux plus anciens Égyptiens et qui présentait l'avantage de momifier naturellement les corps, les protégeant de la décomposition. À Snark, on creuse donc un trou dans le sable et on y dépose le cadavre sans cercueil ni linceul. Les tombes sont délimitées par des cailloux car nous n'avons pas les moyens de tailler des dalles funéraires dans la pierre de Snark. Une croix de bois gravée nous suffit à reconnaître le séjour de nos morts.

À mi-chemin de la crique, j'ai retrouvé les miens. J'ai bien cru défaillir en découvrant que Richard faisait partie du groupe. Il était là, bien vivant, lui qui, quelques heures plus tôt, était froid et rigide comme la glace. Le mort marchait aux côtés des autres qui n'avaient pas l'air étonné de le compter parmi eux. Mon instinct me conseillait d'adopter la même attitude, la même absence de surprise. Je ne pouvais pourtant détourner mon regard de Richard qui avait abandonné le teint cireux de la mort pour retrouver un visage rosi par la sève de la vie.

— Ah ! Denis ! s'est alors exclamé le Coordinateur. Tu es venu à la rencontre des tiens ? Comme nous, tu as vu la chose et tu sais comme chacun d'entre nous ce que ça implique désormais pour toi. Nous avons décidé de nous réunir ce soir à la taverne pour en parler. Chacun exposera son cas et nous pourrons nous organiser en conséquence.

— C'est une bonne idée, ai-je répondu sans comprendre de quoi il s'agissait.

Tout ce qu'il m'était pour l'heure possible de constater, c'était que Richard Tellier était revenu d'entre les morts consécutivement à la pluie de *cendres vertes... Le rapport de cause à effet me semblait évident.*

Le cahier trembla entre les mains de Julia. Le Richard qu'elle avait rencontré n'avait pas eu d'homonyme. Le compagnon de Julia Werner et celui-là ne faisaient qu'un. Tellier était une sorte de zombi au sang chaud... Elle frissonna à cette pensée.

Et si Denis Werner avait été dément ? Oui, un fou, un illuminé ! Une voix douce s'insinua alors dans sa tête : *Allons, Julia, cessez de douter de moi. Votre vie en dépend... Rappelez-vous le cauchemar de la cave des jumelles... Le partage. Votre tête appartient à mes deux vieilles tantes et votre sang à Richard. Vous avez la malchance d'être du groupe O. Je suis avec vous, je...* La voix s'éteignit comme la flamme noyée d'une bougie.

— Où êtes-vous ? hurla Julia.

—Vous... Vous... lui répondit l'écho, la laissant de nouveau désespérément seule.

Le soleil commençait à décliner et la jeune femme décida de sortir de son trou pour rejoindre la civilisation snarkienne. Elle utilisa l'échelle de bois pour regagner la surface et recouvrit de brindilles l'entrée de la grotte souterraine. Elle reprit en sens inverse le chemin qui l'avait menée jusqu'ici, redoutant d'être surprise par la nuit dans cette jungle de ronces et de fougères géantes. Elle avait glissé le cahier sous sa chemisette, se promettant d'en poursuivre la lecture dans sa chambre quand les jumelles se seraient endormies. Elle était plus que jamais décidée à bloquer sa porte avec une chaise...

Si seulement Julien Prieur avait été encore là...
C'était le seul avec qui elle aurait pu partager sa
découverte. Denis avait raison : elle ne pouvait
faire confiance à personne, livrée corps et âme aux
seuls conseils d'un mort, d'un fantôme dont la tête
trônait dans le musée de cire des Tortues, étique-
tée « Traître ».

# Chapitre

# XIII

## Cendres mortelles

Les jumelles s'activaient dans la cuisine. Julia se glissa sans bruit dans le couloir et gagna sa chambre. Elle cacha le cahier de Denis sous son matelas puis, se dessinant avec application un sourire détendu, elle rejoignit les deux vieilles.

— J'avais peur que vous ne vous soyez perdue ! s'exclama Victoire.

— Je me suis promenée au hasard mais j'ai retrouvé mon chemin. J'ai un excellent sens de l'orientation. Il y a tant de choses merveilleuses à découvrir sur cette île que je n'ai pas vu le temps passer !

— Nous sommes ravies que Snark vous plaise autant, dit Joséphine. Ces dix jours vont vous paraître bien courts !

*L'hypocrite*, se dit Julia en songeant à sa propre tête destinée à une éternité de cire. *Tu as dans l'idée que je ne quitterai jamais cet endroit, vieille folle ?! Je ne me laisserai pas décapiter et étiqueter ! Je ne finirai pas dans un grenier...*

Elle palpa à travers le tissu de son jean le couteau qu'elle avait gardé dans sa poche.

Elles dînèrent toutes les trois. Il y avait au menu

un énorme œuf à la coque pour chacune et un plat savoureux de légumes dont Julia ignorait le nom.

— C'est notre récolte, précisa Joséphine. Ça pousse tout seul mais il faut les cueillir.

— C'est très bon, répondit poliment Julia. Vous appelez ça comment ?

— Ça ne s'appelle pas, dit Victoire. Ce sont des légumes... Ça a la couleur d'une courgette, la forme d'une pomme de terre et le goût de rien de connu.

— Tout de même, c'est étrange, glissa insidieusement la jeune femme. L'île a vraiment toujours été comme ça ?

— Bien sûr que oui ! s'exclama Joséphine, le rouge aux joues.

— Nous l'avons toujours connue ainsi, confirma sa sœur avec fermeté.

— Vous êtes des arrivantes de la première heure ? demanda Julia.

— Oui, répondit Victoire. Enfin presque... Ce sont les jeunes qui l'ont découverte mais Georges et Vincent sont revenus nous chercher sur le continent dans les dix jours qui ont suivi... Le temps de vendre notre maison et nous sommes venues vivre ici. Les jeunes avaient commencé à construire des habitations. Au départ, nous avons séjourné dans des maisons précaires, des cahutes, des cabanes de bois construites à la va-vite. Le climat était tellement doux que l'inconfort s'est révélé fort supportable. Et puis, nous avons édifié de vraies maisons... Des années de travail !

— Et vous parvenez à vivre du tourisme ?

— Oh ! Ce n'est qu'un petit plus pour acheter ce que nous ne pouvons pas trouver sur place.

Sinon, les ressources naturelles de l'île nous suffisent, précisa Victoire.

*Évidemment*, songea Julia avec amertume, *il y a des choses qu'on ne peut qu'importer du continent. Les têtes d'écrivain par exemple... Voilà un truc qui ne pousse pas à Snark.*

Elle se leva et prit congé des deux vieilles :

— Vous m'excuserez, mais cette longue balade m'a éreintée. Je vais aller me coucher.

— Mais faites donc, mon enfant, dit Joséphine.

— Vous êtes ici chez vous, poursuivit sa sœur.

Comme elle l'avait décidé, Julia cala la poignée de sa porte avec une chaise. Elle vérifia la solidité de son installation puis souleva son matelas pour prendre le cahier de Denis et en poursuivre la lecture. Petite fille, elle s'était déjà protégée des intrusions en usant des mêmes moyens. Elle avait vu un personnage de polar faire ça dans un film et avait aussitôt adopté la méthode. Chaque soir, elle barricadait ainsi sa chambre, non sans avoir vérifié que personne ne s'était caché sous son lit, ni meurtrier, ni ogre ou monstre inconnu des bois avoisinants. À peu près rassurée, elle décidait d'éteindre la lumière. Là, dans le noir sans fond des nuits à la campagne, elle commençait alors à redouter les fantômes que les murs eux-mêmes ne pouvaient arrêter... Ses parents disaient qu'elle avait trop d'imagination. Mais en avait-on finalement jamais assez ? La réalité défiait parfois le monde de l'imaginaire. Snark en était la preuve. Si cette île bizarre n'avait pas existé, Julia aurait pu l'inventer dans un de ses romans...

Elle reprit sa lecture du cahier. Si elle avait fumé ou bu, elle aurait bien allumé une cigarette et siroté un verre de scotch...

*Je redoutais cette réunion dont je ne connaissais ni les tenants ni les aboutissants. Je savais qu'il me faudrait improviser, jouer un rôle dont j'ignorais pour l'instant jusqu'au premier mot...*

*La séance eut lieu dans la taverne que tenait Frank Tellier ; c'est là que j'entrevis l'horreur pour la première fois de ma vie - et aussi le début de mes ennuis...*

*C'est ici, chère inconnue, que commence le récit de la vie nouvelle qui m'attendait, une existence de menteur, puis d'animal traqué, de mort en sursis.*

*Ils étaient tous là, réunis comme les maillons d'une seule chaîne dont je prétendais faire partie.*

*Georges, notre Coordinateur, prit la parole :*

*— Nous savons tous pourquoi nous sommes là. Nous savons que notre vie ne sera plus jamais la même. Nous sentons, chacun, que quelque chose s'est transformé en nous depuis que cette pluie de cendres vertes est tombée sur notre île. J'ignore comme vous d'où elle venait, probablement de la lune, mais la question est ailleurs. Comment allons-nous satisfaire nos nouveaux besoins ? Nous avons jusqu'à la prochaine pleine lune pour trouver la solution. Pourquoi la pleine lune ? Nous l'ignorons mais nous savons tous, d'instinct, qu'il sera nécessaire de réaliser nos desseins entre le moment où la prochaine pleine lune se lèvera et celui où elle se couchera. Je ne sais si les cendres vertes nous viennent de Dieu ou du Diable... En tout cas, elles ont rendu la vie à Richard, mon cher neveu à qui je vais céder la parole. Nous allons faire un tour*

de table et chacun exposera sa nouvelle situation. Richard ?

— Oui... Je suis certes revenu d'entre les morts mais cet état de grâce pourrait n'être que temporaire si, au moment crucial du déclin de la pleine lune, on n'a pas renouvelé tout le sang qui coule dans mes veines.

Le cahier trembla entre les mains de Julia. Le regard vague, elle pensa à la voix qu'elle avait entendue cet après-midi-là dans sa tête : *Allons, Julia, cessez de douter de moi. Votre vie en dépend... Rappelez-vous le cauchemar de la cave des jumelles... Le partage. Votre tête appartient à mes deux vieilles tantes et votre sang à Richard. Vous avez la malchance d'être du groupe O.* Elle était désormais convaincue que l'esprit de Denis Werner n'était pas le fruit de son imagination. Sa tête d'écrivain était destinée aux jumelles et son sang de donneuse universelle à Richard... Oui, le « partage », dans son cas, était tout à fait possible. Le jeune Julien avait dû, sans aucun doute, sa sélection à son groupe sanguin, identique à celui du zombi... Elle se rappela la fureur de Richard Tellier quand le Kraken lui avait ravi son hôte, sa proie... Le docteur l'avait calmé. Georges devait être en possession des fiches établies par les frères Korliakov ; les jumeaux, qui savaient tout, consignaient probablement le groupe sanguin des voyageurs dans leur dossier.

*Dieu merci, on ne m'avait pas invité à m'exprimer le premier ! Au bord de la panique, j'espérais que le Coordinateur respecterait, dans son tour de table, le sens des aiguilles d'une montre, ce qui me permettrait de parler le dernier et me laisserait le temps de m'inventer, comme les autres, ce que je nommais déjà une malédiction...*

Georges se tourna vers moi, puis changea d'avis et désigna Vincent qui se tenait aux côtés de sa femme.

— Moi... soupira-t-il, c'est un autre problème. J'ai eu cet après-midi, comme chacun d'entre nous, un aperçu de ce qui m'attendait. Je suis moins chanceux que Richard qui, à cet instant, sans l'intervention des cendres vertes, reposerait irrémédiablement six pieds sous... sable ! Tandis que nous revenions du cimetière, plusieurs d'entre vous ont pensé à moi. Mes oreilles ont sifflé au sens propre du terme et tout s'est mêlé sous mon crâne dans un vacarme infernal.

« Toi, Angela, tu as pensé que j'aurais pu mettre une cravate pour l'inhumation de Richard. Vous, Georges, avez remarqué que l'un de mes lacets était défait. Toi, Victoire, tu t'es dit que j'avais attrapé un sacré coup de soleil sur le nez... Tout cela s'est mélangé en un discours informe de voix intérieures qui se chevauchaient : « il aurait pu mettre... un lacet... sur le nez »... J'ai cru que ma tête allait exploser ! Vous qui êtes médecin, Georges, avez-vous entendu parler de l'organe de Corti qui siège dans l'oreille ? Je sais, ne me demandez pas comment, que l'on doit m'en greffer un nouveau à chaque pleine lune si je ne veux pas devenir fou...

— J'ignorais le nom de cet organe jusqu'à ce jour mais les cendres vertes, pour parler de mon cas, m'ont appris comment résoudre les problèmes de chacun d'entre vous. Elles m'ont offert un don en complétant mes connaissances scientifiques... Je suis capable, Vincent, de vous greffer cet organe comme je peux également renouveler le sang de Richard pour qu'il reste en vie. Il nous faudra juste nous organiser pour trouver la matière première... Et nous la trouverons chez tous ceux qui diffèrent de nous, tous ceux que la cendre n'a pas touchés... Seulement, à chaque pleine lune, j'aurai besoin de me nourrir d'un cerveau humain exceptionnel... Celui d'un savant, quelle que soit sa spécialité.

— Mais comment allons-nous faire ? s'énerva Richard.

— Nous allons y réfléchir... Il doit exister une solution, répondit le Coordinateur d'une voix apaisante. Et vous Angela ? Exposez-nous votre cas ?

La femme de Vincent s'exprima à son tour. Elle raconta que, depuis le lever de la lune, elle avait eu par intermittence des visions effroyables, des hallucinations si réalistes qu'elle avait cru mourir de frayeur. Elle décrivit des monstres auprès desquels loups-garous et vampires prenaient une figure angélique. Elle parla d'un univers digne de Jérôme Bosch, d'êtres mi-bête mi-homme, de tortures encore plus abominables que celles de la question.

— En rentrant chez nous, Vincent m'a fait remarquer que mes yeux avaient changé de couleur, dit-elle. Autrefois bleus, ils étaient devenus verts. Je connais désormais le mal dont je suis atteinte. Si je ne veux pas revivre encore et toujours cet enfer, on devra à chaque apparition de la pleine lune, me greffer des yeux neufs, d'une couleur autre que le vert. En seras-tu capable, Georges ?

Le Coordinateur hocha la tête.

— Oui. En attendant, tes yeux ont retrouvé leur couleur initiale...

— Oui, tout comme les problèmes d'oreilles de

*mon mari ont disparu. Vous le savez tous comme moi, la cendre verte nous a en quelque sorte donné aujourd'hui un aperçu de ce qui nous attendait.*

Le docteur se détourna d'Angela et désigna Frank Tellier d'un mouvement du menton.

— *Je vais parler au nom de toute ma famille,* annonça Frank, *car ma femme et mes trois enfants souffrent du même... appétit que moi.*

*Il baissa les yeux un instant, apparemment gêné. Quand il les leva à nouveau sur l'assistance, son regard brillait d'un éclat froid, tranchant comme une lame.*

— *Nous avons eu très faim et nous aurons faim... de chair humaine. Nous devrons satisfaire ce besoin entre le lever et le coucher de la prochaine pleine lune, sinon nous mourrons.*

— *Enfin quelque chose qui n'en appellera pas à mon art !* ironisa Georges Tellier. *Voilà un cas très simple... Et vous, les jumelles, souffrez-vous d'un mal commun ?*

— *Oui,* répondit Victoire. *Une sorte de collectionnite...*

— *...Aiguë* poursuivit sa sœur. *Et très particulière...*

— *Que vous est-il nécessaire de collectionner ?* demanda le Coordinateur.

— *Des têtes !* répondirent en chœur les deux sœurs.

— *Nous devons construire un musée de cire qui représentera tout le genre humain,* précisa Joséphine.

— *Nous devons, voyez-vous, pouvoir étiqueter les têtes, leur attribuer une caractéristique unique,* ajouta Victoire. *Ça peut être la profession de la personne ou encore sa qualité ou son défaut majeurs. Un avocat et* un alcoolique, par exemple, pourraient l'un comme l'autre prendre place sur nos étagères.

— Et comment nommeriez-vous un avocat alcoolique ? demanda le Dr Tellier, un sourire aux lèvres.

— Nous jugerions de ce qui prédomine chez cet être, répondit Victoire, son métier ou son vice, et puis si l'un et l'autre nous paraissaient aussi importants, nous le baptiserions « Avocat alcoolique ».

Des rires jaillirent parmi l'assistance. Je me forçai à sourire... Mon tour allait arriver et depuis qu'on avait entamé ce tour de table, je tentais de m'inventer une malédiction. Je ne voulais rien de ce qui laissait supposer la mort d'un autre pour ma survie. Ces cendres tombées du ciel, qui pour mes anciens compagnons n'étaient que poussières vertes, étaient, pour tout autre, mortelles... Des cendres mortelles... Le paradoxe m'amusa un instant.

Quand Georges Tellier me donna finalement la parole, je me posai, tout comme lui, en privilégié de la connaissance :

— Je ne suis là que pour établir le calendrier des pleines lunes, prévoir les éclipses et la course des astres, la chute éventuelle de météorites, le passage des comètes... À chaque pleine lune, j'obtiendrai d'instinct les coordonnées temporelles de la suivante, l'heure de son lever et celle de son coucher. Ceci n'a rien de surnaturel et pourrait être aisément calculé. Le plus étonnant, c'est que je pourrai prévoir les nouvelles pluies de cendres vertes. Ainsi, chacun sera libre de s'y exposer ou de s'en protéger.

— Car il y en aura d'autres ? s'écria Angela, ma belle-sœur.

— Oui, répondis-je avec assurance.

— Et sais-tu ce qui se passera si on choisit de s'y exposer ? me demanda Vincent.

Je levai les yeux au ciel et soupirai :

— J'aimerais pouvoir te répondre mais je ne peux formuler que des hypothèses : la prochaine pluie pourrait nous rendre à notre état premier ou causer en nous de nouvelles mutations.

— C'est ça ! s'exclama Richard Tellier. Ça te plairait bien que je m'expose et que je retrouve mon état de cadavre !

— Du calme, Richard... Les cendres ont tout prévu, dit le Coordinateur à mon grand soulagement. Elles ont fait de Denis notre horloge lunaire et notre prophète, une sorte de garde-fou, de signal d'alarme. Un rôle essentiel...

Tous acquiescèrent dans un hochement de tête.

J'avais réussi à...

Julia s'endormit brutalement, comme si on lui avait assené un coup derrière la tête. Longtemps, elle avait lutté contre le sommeil mais la fatigue de la journée avait eu raison d'elle. Elle s'était sentie d'un coup aspirée par un gouffre sans fond. Elle avait tout juste eu le temps de s'apercevoir que le cahier lui filait entre les mains comme une anguille...

# CHAPITRE

# XIV

## JE LES REGARDE D'UN AUTRE ŒIL...

**M**aintenant, je vais tous les regarder d'un autre œil, songea Julia à son réveil. *Et les écouter d'une autre oreille. L'œil et l'oreille de Denis Werner...*

Sans lui, que serait-elle devenue ? Comment aurait-elle pu prévoir le jour du sabbat, comme elle se plaisait à appeler la date fatidique ? Grâce au calendrier établi par le disparu, elle avait appris que la prochaine pleine lune aurait lieu le 18 août, la veille du soi-disant retour des touristes dans leurs foyers... Le 17, il serait l'heure de se cacher pour échapper aux Tortues et à Richard. Elle irait se terrer dans la grotte de Denis. D'ici là, elle tâcherait de jouer le jeu de l'ignorance comme Denis avait joué celui de la complicité. Mais les autres ? Les futures victimes des Snarkiens... Comment les sauver, les convaincre du danger que représentaient leurs hôtes ?

*Vous ne le pourrez pas,* murmura la voix du fantôme dans sa tête. *Je sais combien c'est difficile à accepter mais tous ces gens sont perdus d'avance. Si vous leur parlez, ils riront de vous et vous trahiront. Alors, vous aussi serez perdue... Vous ne parviendrez pas à les persuader que l'enfer les guette de l'autre*

134

*côté du miroir paradisiaque dans lequel ils se
contemplent aujourd'hui. C'est cruel, mais voyez-
vous, ils ont déjà classé la mort de Julien Prieur dans
la rubrique des faits divers que l'on s'empresse
d'oublier... Sauvez votre peau, si vous le pouvez,
Julia ! Ce sera toujours un mort en moins dans cette
hécatombe rituelle... C'est tout ce que nous pouvons
espérer. Trois personnes en veulent à votre corps. Si
vous disparaissez au dernier moment, vous avez une
chance de semer la pagaille parmi les Snarkiens et,
qui sait, de provoquer la disparition de certains
d'entre eux...*

La voix de Denis Werner semblait celle de la raison mais Julia avait du mal à se résoudre à abandon-
ner à leur triste sort la violoniste, le Pr Bachelier, la
famille d'obèses... tous ces gens avec lesquels elle
n'avait rien à partager mais dont elle respectait
l'existence par principe. Quant aux Snarkiens...
N'étaient-ils pas eux-mêmes les victimes d'un phénomène étrange ? Ils étaient tous sous l'emprise
d'une terrible malédiction. Des victimes, oui... Pas
des meurtriers crapuleux.

*Ne pensez pas à ça...* chuchota la voix d'outre-
tombe. *Ne les considérez plus comme des humains.
En dépit de leur apparence trompeuse, ce sont des
monstres !*

— Et si le Mal, c'était vous ? cria Julia à l'invisible
et au silence.

*Vous avez encore le temps de vous faire votre
propre idée,* dit doucement le fantôme. *Promettez-
moi au moins de lire mon cahier jusqu'au bout. Le
diable n'est-ce pas ? Vous pensez au diable ? Comme
vous le disaient autrefois vos parents, vous avez trop*

*d'imagination, du moins la canalisez-vous dans une mauvaise direction. Chacun d'entre nous porte en soi son propre démon et la malédiction qui a frappé chaque Snarkien a quelque chose à voir avec sa façon de vivre, de penser, avec ses souvenirs, ses fantasmes, ses cruautés, la part obscure de son être...*

— Je lirai votre cahier jusqu'au bout, c'est entendu... répondit la jeune femme à voix haute.

*Pardonnez-moi, mais il me serait pénible de discuter plus longtemps avec vous pour l'instant... Vous ignorez quelle énergie, quelle volonté, cela me demande !* murmura l'esprit d'une voix éteinte. *Apprenez à les connaître et vous découvrirez le talon d'Achille de chacun d'entre eux... Les malédictions n'ont pas été lancées au hasard. Chacun a inconsciemment provoqué la sienne, j'en suis certain. À plus tard... Je...*

— Continuez ! Expliquez-moi ! hurla Julia.

Seule la voix de Victoire lui répondit de l'autre côté de la porte :

— Julia ? Que se passe-t-il ? Vous n'êtes pas seule ?

La jeune femme inspira une longue bouffée d'air et, remettant la chaise à sa place initiale, ouvrit la porte :

— Oh ! Je suis désolée... Je viens de me réveiller en plein cauchemar...

— Vous avez dormi habillée ?

— J'étais si fatiguée, hier soir, que je suis tombée comme morte sur mon lit.

— Dieu merci, vous êtes bien vivante ! lança Victoire sur un ton enjoué. En revanche, vous devez avoir des tas de courbatures... Tâchez de faire un peu moins d'exercice aujourd'hui. Vous avez les traits tirés... Il fait un temps idéal sur la plage et vous pourrez y bavarder avec vos compagnons de voyage. Vous ne fréquentez plus personne depuis que votre ami Julien a disparu... J'imagine que la compagnie de deux vieilles dames comme ma sœur et moi n'est pas follement drôle pour une jeune femme ! Allons, je vous laisse vous réveiller. Du café chaud vous attend à la cuisine.

*Dieu merci, vous êtes vivante...* rumina Julia en regardant Victoire s'éloigner. *Vous avez les traits tirés...*

Il était important, n'est-ce pas, qu'elle reste en vie jusqu'au jour J. Il semblait également essentiel qu'elle présente à la cire bouillante un visage détendu. Les jumelles ne comptaient pas étiqueter sa tête d'un désenchanteur « Écrivain fatigué ».

*Il fait un temps idéal sur la plage...* Tous ces idiots de touristes ne s'aventuraient jamais au-delà de la crique la plus proche, à proximité de la taverne et des habitations. Les autres plages semblaient ne pas exister : on allait à *la* plage... Ses fameux compagnons de voyage avaient, de toute évidence, laissé leur curiosité sur le continent, au fond d'un placard, dans la naphtaline. Denis avait sûrement raison : personne ne la croirait si elle parlait des cendres mortelles. Si elle montrait le cahier, on serait bien capable de la soupçonner de l'avoir écrit. Son métier la desservirait... Elle entendait de là les réflexions désabusées : « Ah ! Ces écrivains ! Quelle imagination ! » et on la classerait dans la catégorie des doux dingues...

Elle avait davantage envie d'aller regarder les Snarkiens de plus près que de fréquenter ses congénères. *Apprenez à les connaître et vous découvrirez le talon d'Achille de chacun d'entre eux... Les malédictions n'ont pas été lancées au hasard. Chacun a inconsciemment provoqué la sienne...* avait dit la voix dans sa tête.

En attendant d'organiser sa fuite, Julia n'avait que cela à faire : lire les notes de Denis jusqu'au bout et essayer de comprendre le mécanisme des malédictions et leur logique, s'il en existait vraiment une.

Elle parcourait désormais le cahier comme on se plonge dans un roman. Son auteur avait insensiblement glissé du passé composé, rigoureux et froid, digne d'un compte rendu formel, au passé simple qui habillait si bien le récit, la fiction...

Elle avala rapidement un café et, le cahier sous le bras, quitta la maison des jumelles :

— Des idées pour un nouveau roman ? lança Joséphine sur un ton guilleret.

— C'est ça ! répondit sèchement Julia. Je vais prendre des notes pour mon prochain livre... et me dorer au soleil.

Elle contourna le chalet de Richard Tellier et s'allongea dans le pré voisin d'où elle avait pu observer les jumelles et le Coordinateur.

Elle feuilleta le cahier. Elle en était restée à cette fameuse réunion des Snarkiens. Denis venait de s'inventer un rôle dans la communauté et Georges l'avait jugé essentiel...

*Tous acquiescèrent dans un hochement de tête.*
*J'avais réussi à les tromper.*

*Nous nous quittâmes sur le projet de nous réunir à nouveau le lendemain pour discuter d'un moyen de nous « ravitailler » selon nos besoins particuliers. Il ne s'agissait plus de se constituer des réserves de café, de farine, d'alcool, d'essence pour les générateurs d'électricité, d'épurateurs d'eau de mer et de pompes, mais de découvrir un filon de chair humaine susceptible de rassasier les plus maudits d'entre nous. Du sang de groupe B négatif pour Richard, des oreilles pour Vincent, des yeux pour Angela, des têtes pour mes deux vieilles tantes, de la nourriture humaine pour la famille cannibale de Frank...*

*Cette nuit-là, je ne pus trouver le sommeil, m'escrimant à élucider le mystère des cendres vertes qui s'étaient abattues sur notre île, bouleversant d'un coup la végétation, la personnalité des hommes et, je l'envisageais, celle des animaux... Je fondai des hypothèses à partir de mes connaissances en astronomie et en géologie, partant du postulat que le phénomène provenait de la lune. Seule une explication scientifique pouvait me rassurer car la logique laissait alors envisager qu'il demeurait possible de trouver un antidote à la catastrophe.*

*Je m'attachai à ce qui me paraissait le plus rationnel : la pulvérisation d'une météorite lunaire durant la traversée de l'atmosphère. Sous sa croûte, la couche supérieure de l'astre mort est formée de minéraux dont l'olivine, une pierre de couleur verte... Quant à ce qui avait pu provoquer le détachement de cet éclat de lune, je n'entrevoyais qu'une seule alternative : un séisme ou bien l'impact d'une météorite venue d'une autre planète. La lune a connu une activité volcanique il y a deux millions d'années et il arrive encore que des tremblements en atteignent la couche supérieure. Par ailleurs, certains cratères, très profonds, témoignent d'un choc, d'une rencontre violente avec des morceaux d'étoiles. L'olivine, dominant le pyroxène, le fer et le magnésium dont est formée la couche supérieure de la lune, avait pu donner sa couleur à la pluie de cendres. Restait à savoir comment ce mélange avait pu provoquer de tels bouleversements sur notre île... Là, il m'était impossible d'imaginer une explication rationnelle. Si je pouvais élucider la cause, j'étais incapable d'analyser l'effet et, par conséquent, d'y remédier. Cela dépassait mes compétences scientifiques.*

*Je pensai alors à l'aspect symbolique de la lune et retrouvai un passage éloquent du « Traité d'histoire des religions » dans lequel il en était question : « astre qui croît, décroît et disparaît, dont la vie est soumise à la loi universelle du devenir, de la naissance et de la mort. La lune connaît une histoire pathétique, de même que celle de l'homme, mais sa mort n'est jamais définitive... Cet éternel retour à ses formes initiales, cette périodicité sans fin font que la lune est par excellence l'astre des rythmes de la vie... Elle contrôle tous les plans cosmiques régis par la loi du devenir cyclique : eaux, pluie, végétation, fertilité... Ensuite, je consultai mon « Dictionnaire des symboles » et en lus les premières phrases : « Les deux caractères les plus fondamentaux de la lune dérivent, d'une part, de ce que la lune est privée de lumière propre et n'est qu'un reflet du soleil ; d'autre part, de ce qu'elle traverse des phases différentes et change de forme. C'est pourquoi elle symbolise la dépendance et le principe féminin, ainsi que la périodicité et le renouvellement. À ce double titre, elle est symbole de transformation et de croissance. »*

*Dépendance... Transformation... Croissance... Cela ne faisait plus aucun doute pour moi : la lune était responsable de la métamorphose des Snarkiens et de celle des plantes qui avaient curieusement grandi.*

*Il me restait encore bien des phénomènes de mutation à découvrir...*

# CHAPITRE

# XV

## UN THÉ CHEZ LES FOUS

Vincent et Angela Werner accueillirent Julia avec un plaisir qui paraissait sincère. La jeune femme, dans ce qu'elle avait nommé sa « chasse aux Snarkiens », avait choisi de visiter en premier lieu le couple qu'elle avait eu la faiblesse de trouver sympathique. Malgré la lecture du cahier de Denis, elle avait encore du mal à considérer ces deux-là comme des monstres. Elle n'en aurait pas dit autant de la violoniste qui séjournait chez eux. Constance Fisher persistait à afficher un air lointain, supérieur et dédaigneux. Elle avait tout de la cabotine hautaine et snob. Julia se demandait comment un être aussi méprisant pouvait interpréter du Vivaldi avec toute la sensibilité requise par des pièces comme le *Stabat Mater*. La musicienne avait grogné un bonjour presque inaudible à l'adresse de la visiteuse tandis qu'Angela, exaltée, s'était écriée :

— Vous êtes l'écrivain, c'est ça ? Mon Dieu ! Je suis si passionnée de lecture que mon mari dit parfois que je finirai aveugle comme le poète Milton !

Vincent avait ri :

— Ça fait longtemps que ma femme me trompe

avec les livres. Elle est même capable de lire à table, la fourchette dans une main et le bouquin dans l'autre !

— Tu exagères, chéri... C'est gentil de venir nous rendre visite, madame Stenzo...

— Appelez-moi Julia, ce sera plus simple.

— Oh oui ! Appelons-nous par nos prénoms. C'est tellement plus sympathique ! Prendrez-vous une tasse de thé avec nous... Julia ?

— Avec plaisir, Angela.

— Vous arrivez juste à l'heure ! avait ajouté Vincent Werner sur un ton enjoué. Nous avons pris cette habitude avec Constance, qui est une musicienne merveilleuse.

— Quel rapport avec le thé ? n'avait pu s'empêcher de demander Julia.

— Mais, ma chère, notre invitée a des origines anglaises par son père ! Elle nous a initiés, ma femme et moi, au *tea time*. Mais ce que je préfère à l'Earl Grey, c'est l'instant magique où notre virtuose sort son violon pour nous jouer un morceau. Nous prenons une première tasse de thé, puis Constance joue. Ensuite, nous reprenons du thé avec des brownies. Nous nous livrons chaque jour à ce rituel enchanteur !

— Ce doit être délicieux... avait répliqué Julia en regardant Constance Fisher droit dans les yeux.

La violoniste lui avait renvoyé un regard vide. *Un regard de carpe,* avait songé Julia.

La maison des Werner était plus confortable que celle de Richard Tellier et leur intérieur plus moderne que celui des vieilles Tortues.

Sa tasse de thé à la main, la jeune femme, dans

un sourire engageant, demanda :

— Que faisiez-vous, tous les deux, avant de vivre à Snark ? Vous exerciez une profession, je suppose ?

Angela prit la parole pour elle et son mari, laissant Vincent la bouche ouverte sur un silence contraint, une bulle de parole crevée par le petit doigt levé de sa femme...

— Nous étions professeurs. J'enseignais la littérature et Vincent la musique.

— Je vois... dit Julia.

— Avez-vous fini votre thé ? lui demanda alors Vincent avec une impatience non dissimulée.

— Euh... Oui.

— Et vous Constance ?

La violoniste hocha la tête.

— Et toi, chérie ?

— Mais oui !... soupira Angela.

— Alors, c'est le moment ! Le grand moment est arrivé ! Chère Constance, si vous le voulez bien...

La musicienne alla chercher son violon et s'exécuta.

Julia pensa reconnaître un morceau de Bach... mais elle oublia très vite la musique pour se concentrer sur le comportement étrange de ses hôtes.

Vincent avait sorti de sa poche un coton-tige qu'il enfonçait et faisait tourner dans son oreille droite, puis dans l'autre, l'air concentré comme un orfèvre. Angela, elle, avait tiré de son sac à main un petit miroir et ne cessait de s'y contempler, les yeux plissés comme à la recherche d'une erreur subtile.

Constance Fisher, le regard fixé sur son violon, ne pouvait rien voir de la scène. Elle semblait loin, très loin d'ici, encore plus lointaine que d'habitude, emportée par l'harmonie vigoureuse de son interprétation. Oui, c'était du Bach, sans aucun doute. Julia, gênée par les tics des Werner, essayait maintenant désespérément de s'accrocher à l'invisible partition de la virtuose. Elle ne voulait plus entendre que la musique. Elle ne voulait plus voir que l'archet et les doigts véloces de la musicienne. Cet homme qui se curait les oreilles avec frénésie et cette femme qui se regardait au fond des yeux, comme hantée par son reflet, lui semblaient grotesques, absurdes. Julia, en les observant, oscillait entre le fou rire et le cri de terreur.

Quand la note finale agonisa sous l'archet de Constance Fisher, Vincent remit son coton-tige dans sa poche et Angela son miroir dans son sac. Ils se mirent à applaudir et Julia, avec un temps de retard, se joignit à l'ovation.

— Vous reprendrez bien du thé ? lui proposa la maîtresse de maison.

— Avec plaisir...

— Ah ? Je n'avais par remarqué que vous étiez venue accompagnée ! lança Vincent.

Devant la mine surprise de Julia, il précisa :

— Vous ne nous aviez pas dit que vous étiez venue avec plaisir. C'est une plaisanterie... Il semblerait qu'elle soit tombée à plat.

— Ah ! Oui ! Très drôle... Je n'avais pas saisi.

— Pardonnez mon mari, il adore jouer avec les mots, soupira Angela.

La musicienne avait repris sa place sur le canapé près de Julia.

— Dites-moi, Constance, lui demanda Vincent, vous êtes venue ici dans l'unique intention de tuer le temps ?

Constance Fisher haussa les sourcils.

—Assassin ! Qu'on lui tranche la tête ! pouffa le maître de maison. (Puis, s'adressant de nouveau à Julia :) Vous qui êtes une littéraire, vous devez connaître ce passage d'*Alice au pays des merveilles* ? Souvenez-vous... La Reine de Cœur donne un grand concert auquel le Chapelier participe. Il commence à chanter et la Reine l'arrête après le premier couplet en l'accusant d'intentions meurtrières.

— Oui, ça me revient, mais j'ai oublié la chanson en question...

— Moi, je la connais par cœur, affirma Angela.

— Moi aussi, ajouta son mari, et j'ai même inventé une mélodie aux paroles de Lewis Carroll. On leur montre, ma chérie ?

Angela hocha la tête :

— Un, deux, trois !...

Le couple entonna en chœur :

*Scintillez, scintillez, petite pipistrelle,*
*Qui doucement venez nous frôler de votre aile !*
*Dans le crépuscule où, sans bruit, vous voletez,*
*Scintillez, scintillez comme un plateau à thé !...*

Julia sourit poliment :

— C'est en effet très amusant...

Constance Fisher leva les yeux de sa tasse de thé :

— Qu'est-ce que c'est, au juste, qu'une pipistrelle ?

— Ma chère, répondit Angela sur un ton docte, il s'agit d'une petite chauve-souris très commune en Europe.

— Ce serait pour nous un grand honneur si vous acceptiez un jour de nous accompagner au violon, dit Vincent.

—Votre mélodie n'est pas bien difficile à adapter, lui répondit la musicienne avec un air de dégoût.

—Vous savez, continua Vincent à l'intention de Julia, notre hôte possède l'oreille absolue. C'est une grande, une très grande violoniste !

— Je comprends la Reine de Cœur, marmonna Constance Fisher avant de croquer dans un brownie. Cette chansonnette est exaspérante.

Le couple ne sembla pas prêter attention aux réflexions désobligeantes de la musicienne.

Julia tenta d'engager la conversation avec la touriste récalcitrante :

— Vous aviez besoin de vacances entre deux tournées ?

— Non.

—Vous êtes contente de votre séjour à Snark ?

— Oui.

— Comment occupez-vous vos journées en dehors, bien entendu, de l'heure du thé ?

— Ça dépend.

— Vous fréquentez certains des autres touristes ?

— Non.

Julia, découragée par la mauvaise volonté de la Fisher, se leva pour prendre congé :

— Je dois partir... J'ai été ravie de faire plus

ample connaissance avec vous.

— Revenez quand vous voudrez ! dit Angela. Nous pourrons parler littérature.

— Merci pour le thé... et pour le concert.

Elle quitta la maison des Werner comme on s'éveille d'un rêve absurde. La pleine lune approchant, Angela et Vincent devenaient assurément nerveux, préoccupés l'un par ses oreilles et l'autre par ses yeux.

Qu'en était-il des autres Snarkiens ? Elle imagina les jumelles polissant le tranchant d'une hache, Frank Tellier aiguisant un long couteau de boucher, Georges Tellier aseptisant ses scalpels et autres instruments de chirurgie et Richard Tellier s'entaillant la peau pour voir si son sang ne commençait pas à coaguler...

# CHAPITRE

# XVI

## LA MINE DES SEPT NAINS

Le Coordinateur, que nous avions élu lors de notre arrivée sur l'île, décida que nous devions explorer nos terres pour observer les conséquences que les cendres vertes avaient eues sur la flore et la faune.

Nous nous mîmes en route dès le lever du jour. Il n'était pas question de nous séparer mais de passer Snark au peigne fin. Nous marchions les uns à côté des autres, respectant un intervalle d'un mètre entre deux personnes, chacun représentant en quelque sorte une dent du peigne humain que nous formions.

J'eus la chance de tomber sur la grotte dans laquelle je devais par la suite trouver refuge. J'omis, bien entendu, d'en signaler l'existence. Mon voisin de « cordée », Frank Tellier, n'avait rien remarqué, trop occupé à se défaire de « ces saloperies de ronces » qui entravaient sa marche.

Les plantes étaient devenues géantes, et de nouveaux fruits et légumes étaient apparus, dont nous prélevâmes des échantillons. Les oiseaux, les insectes et les serpents, seules présences animales de l'île avaient connu la même croissance que la végétation. Georges Tellier, frappé au front par une mouche énorme, estima que l'on en avait assez vu. Il était temps d'aller faire un tour du côté des plages.

Comme nous allions rebrousser chemin, Richard poussa un cri triomphal :

— Vite ! Venez voir ! C'est magnifique ! C'est formidable ! Nous sommes riches !

Nous le retrouvâmes accroupi au bord d'un trou.

— Tu as trouvé un terrier de lapin géant ? ironisa le Coordinateur.

— Non, mon oncle ! Bien mieux que ça ! Penchez-vous. Regardez ! Une mine de diamants !

Le Dr Tellier s'accroupit à son tour puis m'appela à la rescousse :

— Denis, toi qui es spécialiste en géologie, que penses-tu de la découverte de mon neveu ?

Je glissai ma tête dans l'orifice : une galerie sans fin courait sous la terre. Ses parois, hormis celle qui constituait le plafond, étincelaient de l'éclat du plus pur diamant.

— Il a raison, dis-je, c'est bien du diamant, mais la voûte de la galerie est quant à elle en granit.

— Voici une ressource naturelle tout à fait inattendue ! jubila le Coordinateur.

— Et comment comptez-vous exploiter cette mine ? demandai-je en grimaçant, jouant les trouble-fête.

— Que veux-tu dire ? s'énerva Georges. Nous l'exploiterons comme on exploite n'importe quelle mine ! Où est le problème ?

— Le problème ? Avez-vous remarqué la hauteur de la galerie ? À vue de nez, 1,20 m... Seuls un enfant ou un nain pourraient y circuler sans se casser les reins...

— Eh bien quoi ? Il suffira de faire sauter la voûte

*et la mine deviendra une carrière de diamant.*

— *Il vous faudra une bonne dose d'explosif pour détruire la couche de granit...*

— *Et alors ?*

— *Alors, vous abîmerez également le diamant...*

— *Ah ? grogna le docteur, l'air contrarié. Voilà qui est bien ennuyeux... Voyons... Des nains, dis-tu... Des nains de moins d'1,20 m... Les adultes, même nains, sont plus costauds que des enfants. Et puis les enfants, eux, sont destinés à grandir et ne sauraient constituer une main-d'œuvre stable... Des nains, oui, la solution est là. Il nous faut des nabots ! Cinq ou six devraient suffire...*

— *Et pourquoi pas sept ? lança Richard en ricanant. Comme dans « Blanche-Neige » !*

— *Oui, sept, répondit son oncle avec sérieux, c'est un bon chiffre, un chiffre magique, mystérieux, selon la numérologie...*

— *Mais comment allons-nous les trouver ? s'inquiéta Angela.*

— *J'ai mon idée là-dessus... répondit le Coordinateur. Réunion ce soir à 20 heures à la taverne ! Je vous exposerai mon plan. En attendant, je vais analyser notre récolte pour déterminer si elle est ou non comestible. Quelques-uns d'entre vous devraient aller visiter les plages. L'eau, les poissons ont peut-être également subi des transformations...*

*La famille de Frank Tellier se proposa pour explorer la côte. Curieux d'en découvrir davantage sur la nouvelle île de Snark, je me joignis au petit groupe.*

*Notre promenade devait se solder par une tragédie épouvantable.*

*En ce temps-là, les Tellier avaient quatre enfants. Le*

*plus âgé d'entre eux, un adolescent presque adulte du nom de Michaël, allait disparaître sous peu dans d'atroces souffrances.*

*Chère inconnue, méfiez-vous, je vous en conjure, de l'îlot que l'on aperçoit du bord de la plage désormais interdite aux nageurs. C'est un monstre endormi qui s'éveille quand il se sent menacé. Sa peau couleur de terre et de roc a trompé le jeune Michaël qui s'est jeté à l'eau pour ne plus en revenir.*

*— Eh ! s'était-il écrié en apercevant la bête. Ce petit îlot recèle peut-être lui aussi un trésor de pierres précieuses ! Je vais aller voir ça de plus près.*

*Nous le regardâmes en silence cisailler les flots. À une vingtaine de mètres du bord, il se retourna :*

*— Ohé ! C'est magnifique ! Je vois des tas de petits poissons vert fluorescent !*

*Ce furent là ses dernières paroles intelligibles. De gigantesques tentacules s'étaient déjà enroulés autour de son corps. On entendit un bruit sec de bois qui craque, d'os qui se brisent. Michaël, les yeux exorbités, tirait la langue comme un enfant impoli. Du sang jaillit de son nez. Une bouche énorme, grande ouverte, émergea de l'eau, crachant des poissons et des algues verdâtres. L'impressionnante mâchoire se referma brusquement sur la tête du jeune homme, comme on croque un bonbon. Le corps décapité agitait encore les bras dans le vide, en aveugle, comme à la recherche d'une main secourable. Bientôt, la bête engouffra ce qui restait du garçon dans un long bruit de succion. Frank Tellier était blême, la bouche ouverte sur un cri qui ne voulait pas sortir ; on l'aurait cru frappé d'aphasie. Cécile, sa femme, poussa un long hurlement de louve blessée. Les deux* frères et la sœur de Michaël pleuraient en hoquetant. Puis, Frank, me regardant d'un air hagard, retrouva la parole :

— Bordel ! C'est quoi cette saleté de bestiole ?!

— Le Kraken, dis-je, c'est le Kraken… Je l'ai reconnu.

— Le Kraken ! gueula Tellier. Qu'est-ce que c'est que ce truc ?

— Un monstre, un peu comme celui du loch Ness. Quand il dort, son dos émerge et on peut le prendre pour un îlot. C'est une sorte de calmar géant. On a souvent mis en doute le témoignage des gens qui disaient l'avoir vu… J'ai eu l'occasion de consulter des croquis qui représentaient le Kraken… Cette bête lui ressemble trait pour trait.

— Cette saloperie a bouffé mon fils ! Je vais la buter ! Lui arracher la peau ! Lui crever les yeux ! Qu'est-ce qu'elle est venue foutre ici, chez nous ?

— Sa venue a certainement un rapport avec la pluie de cendres vertes… Il faut prévenir les autres.

— Nous sommes maudits ! Maudits ! hurla Frank en se tenant la tête entre les mains.

— Trop tard… murmura Julia en songeant au triste sort de Julien.

Si seulement elle avait découvert plus tôt le cahier de Denis Werner… La mise en garde du disparu arrivait avec un temps de retard sur le destin.

Lors de notre réunion du soir, nous décidâmes de signaler la plage dangereuse par une pancarte. Le Kraken pouvait rester là des siècles comme un bateau qui s'est échoué, déserté par son équipage. Le monstre vivait au ralenti, dans une léthargie de statue, ne s'éveillant que pour capturer quelques poissons, de temps à autre, ou lorsqu'il se croyait attaqué. Il ferait désormais partie du paysage de Snark. Richard Tellier, qui nourrissait des prétentions littéraires jusqu'alors inabouties, envisageait d'écrire « La chasse au Kraken » en plagiant « La chasse au Snark » de Lewis Carroll. Quand il avait émis cette idée sur un ton rigolard, son frère, Frank, avait bien failli l'étrangler... Le Coordinateur avait séparé ses neveux et tapé du poing sur la table :

— Silence, maintenant ! Nous laisserons ce fameux Kraken où il est ! L'affaire est classée ! Il nous faut discuter de notre organisation, de la mine, de nos besoins en êtres humains, sinon nous risquons tous de mourir ou de devenir fous à l'issue de la prochaine pleine lune ! J'ai longuement réfléchi à la question et je crois avoir trouvé la solution. Notre toute nouvelle richesse va nous être d'un grand secours...

— Richesse inexploitable par nos propres moyens, grogna Richard, selon Denis...

— En effet, poursuivit le Coordinateur, d'où la nécessité de trouver une équipe de nains.

— Eh ! s'exclama Richard. Je plaisantais avec mon histoire de sept nains ! C'est grotesque... Comment pourrait-on les recruter ? Dites-moi, mon oncle, vous comptez passer une petite annonce du style « Importante compagnie minière cherche sept nains pour exploiter un filon de diamants. Se présenter avec références sur l'île de Snark » ?

Georges Tellier haussa les épaules.

— Vas-tu me laisser finir ? Il nous faut trouver des hommes de main, des hommes de confiance qui soient capables de subvenir à nos besoins et qui assurent la liaison entre le continent et notre île. Ils seront, bien entendu, payés pour leurs services à prix de... diamant. Bien sûr, il leur faudra avant toute chose, nous fournir la main-d'œuvre nécessaire à l'exploitation de la mine. Frank ? Qu'en penses-tu ?

— C'est faisable, répondit l'intéressé dans un sourire mystérieux.

— Tu penses pouvoir retrouver certaines de tes anciennes relations ?

— Je crois... J'essaierai... Je pense en particulier à deux hommes qui feraient tout à fait l'affaire, des escrocs de haut vol, les frères Korliakov... Quand je me suis enfui suite à l'affaire du trafic immobilier, ils m'ont laissé un moyen de les contacter.

— Pour une fois, lança Richard, ton passé crapuleux va nous être utile !

Tout le monde ici connaissait les antécédents de Frank : faussaire, serrurier de génie, fabricant de faux papiers, vendeur de maisons qui ne lui appartenaient pas, trafiquant d'enfants du tiers-monde et pour finir, meurtrier. Il tentait de vendre un château en Normandie à deux Parisiens, certain que le couple qui habitait les lieux s'était absenté pour un mois de vacances. Les propriétaires, rappelés en urgence par un décès familial, avaient surgi à l'instant où Frank achevait la visite du château. Pris de panique, il avait sorti son revolver et tué les quatre témoins de sa tentative d'escroquerie.

Il s'était embarqué sur le voilier des Tellier et Werner comme on s'engage dans la Légion, entraînant sa femme et ses gosses. Snark lui apparut comme une aubaine... Il y vit en liberté mais en est également prisonnier...

— *Si j'ai bien compris, dit Frank, je suis tout désigné pour effectuer un petit tour sur le continent ?*

— *Exactement, mon cher neveu, confirma le Coordinateur.*

— *Je ne suis pas fait pour la navigation en solitaire... Nous devons au moins être deux...*

*Sans hésitation, je me portai volontaire, entrevoyant dans ce périple une issue à mon cauchemar, le moyen de reprendre une vie normale parmi des gens qui me ressemblaient.*

— *Allons, Denis, tu plaisantes ? se moqua Georges Tellier. Tu sais aussi bien que nous tous que tu es un piètre navigateur ! De plus, tu souffres du mal de mer... Non, c'est Vincent qui accompagnera Frank.*

*Je me forçai à sourire :*

— *Oui, vous avez raison...*

*Ma seule chance de quitter ce lieu maudit venait de s'évanouir.*

Julia connaissait la suite de l'histoire, celle de la fausse agence de voyages dirigée par les jumeaux Korliakov, alias Tweedledum et Tweedledee...

Une phrase de Lewis Carroll, prononcée par l'un des deux bonshommes fictifs, lui revint alors en mémoire :

« *Si vous nous prenez pour des figures de cire, vous devriez payer pour avoir le droit de nous contempler, voyez-vous bien. Les figures de cire n'ont pas été faites pour qu'on les regarde sans bourse délier. En aucune façon.* »

Subitement, une peur panique la serra à la

gorge. Elle voyait sa propre tête, tranchée, recouverte de cire, siéger dans un musée sans visiteurs, absurde.

# CHAPITRE

# XVII

## QUI A RÊVÉ TOUT CELA ?

Comme l'avait fait Denis Werner, Julia cherchait à élucider le mystère des cendres vertes. Elle n'avait certes pas les connaissances du disparu en matière de géologie et d'astronomie, mais, dès l'enfance, elle s'était prise de passion pour les profondeurs de la Terre et pour celles du ciel, le haut et le bas de l'Univers. Creuser, scruter. Courbatures et torticolis. En ce temps-là, elle voulait la lune et le noyau secret du monde.

Elle observait les astres avec les puissantes jumelles de guerre rapportées du maquis par son grand-père, un ancien résistant. En été, elle observait la pleine lune, stupéfaite de discerner le contour des cratères avec tant de précision. C'était comme si la lune avait été à portée de main. D'ailleurs, la jeune Julia avait un soir naïvement resserré ses doigts sur l'image si proche de l'astre lointain, déçue de ne saisir que du vide... Les jumelles étaient devenues un objet de culte, le bien le plus précieux de la fillette, un objet magique qui possédait le pouvoir de rapprocher les étoiles et les planètes au point de tromper l'œil, de falsifier les distances. Elles emportaient Julia dans un voyage fantastique. L'enfant décollait, s'envolait, flottait parmi les limbes de l'inconnu, rêveuse. « Tu es encore dans la lune ! » lui disait son grand-père sur un ton taquin. Pépé Guy était aussi curieux des mystères du cosmos que l'était sa petite-fille. L'intérêt que Julia portait aux secrets de l'espace le ravissait. Ils avaient tous deux de longues conversations sur la création de l'Univers, sur l'infini, le sens de l'existence et la vie possible sur d'autres planètes. Il ne l'avait pas initiée, ils s'étaient tout simplement rencontrés sur le terrain de la curiosité scientifique et de la fascination pour l'inconnu, complices comme deux gamins frondeurs, partageant ce que les autres nommaient des sottises.

Julia ne se contentait pas de lever les yeux au ciel. Elle fouillait aussi les entrailles de la Terre dans un amour immodéré des pierres et du passé. Cette passion pour les cailloux ne l'avait ensuite jamais quittée et avait tourné au fétichisme. Il lui semblait que chaque pierre recelait tout le savoir du monde, son histoire, sa vérité. Quand elle tenait au creux de sa main un silex, il lui semblait établir un contact avec des millions de vies humaines aujourd'hui éteintes, d'entendre des paroles évanouies, de sentir des souffrances et des joies qui n'avaient laissé aucune autre trace que ce cœur aux palpitations imperceptibles qui continuait à battre dans chaque caillou de la création. Les pierres représentaient les témoins muets de la tragédie de la vie, la mémoire inaccessible de l'Univers.

Elle relut les notes de Denis sur l'explication du phénomène des cendres vertes. Quelque chose la chiffonnait… Cette histoire de malédiction issue de la nécessité et non du hasard. Si l'olivine, composante de la couche supérieure de la lune, avait effectivement donné aux cendres leur couleur, comment imaginer qu'elle ait pu être animée d'une volonté propre ? Julia, si elle respectait les déductions de Denis, se retrouvait acculée à une unique alternative : une puissance supérieure, un dieu, avait choisi la malédiction dont souffrirait chaque Snarkien, ou alors, chacun d'entre eux avait généré sa propre croix à porter. La pierre en soi était *a priori* dépourvue d'intelligence, de volonté. Pour Julia, elle s'imprégnait comme un buvard des traces du passé mais ne possédait pas la capacité d'agir, de juger, de décider, de condamner ou de pardonner.

— *Je n'ai pas eu le temps de pousser mes réflexions jusque-là…* chuinta une voix dans la tête de la jeune femme. *J'ai dû me contenter d'un constat… Le professeur de musique souffrait de maux d'oreilles et sa femme, versée dans les livres, enseignant la littérature, était atteinte d'une perversion de la vision. Par ailleurs, nous avons longtemps surnommé Frank Tellier « le Boucher » à cause du sang innocent qu'il avait fait couler… Pourquoi ? Comment ? J'ai été incapable de trouver une explication rationnelle à ces correspondances. Voulez-vous risquer votre peau à tenter d'élucider cette énigme ou souhaitez-vous vivre ? Croyez-moi, la malédiction de chacun d'entre eux trouve sa justification dans leur vie mais c'est sans importance ! Vous aurez tout le loisir de réfléchir à la question quand vous serez tirée d'affaire. Ne cédez pas à la fascination, à une curiosité qui pourrait vous être fatale !*

— Et vos deux vieilles tantes coupeuses de têtes ? interrogea Julia à haute voix. Quel rapport existe-t-il entre leur obsession présente et leur passé ?

— *S'il vous plaît, Julia, quand nous entrons en communication, contentez-vous de penser... Je vous entends aussi bien. Vous prenez des risques inutiles à parler... seule. Pour répondre à votre question... Si vous avez besoin de preuves, visitez avec prudence les chambres respectives de Victoire et de Joséphine. Finirez-vous par me croire ? Je ne veux que votre bien !*

La voix s'effaça, comme le sourire du Chat du Cheshire...

— Connaissez-vous le fantôme de Lewis Carroll ? hurla Julia, à bout de nerfs.

Sa propre voix rebondit contre les murs de la pièce presque nue, demeurant sans réponse...

Elle n'avait pas à redouter la survenue de l'une des jumelles. Les Tortues étaient parties cueillir des fruits et récolter les légumes sans nom dont elles raffolaient. Le moment était idéal pour fouiner dans leurs chambres... Tout de même, avant de s'aventurer dans le corridor, Julia tâta sa cuisse à la recherche du contact dur et rassurant de son couteau... Pour défendre la sienne, elle se sentait capable de trouer la peau aux deux vieilles. L'instinct de conservation avait fini par effacer en elle tout sentiment de pitié ou de compassion pour les « maudits » de Snark. Elle commençait même à se moquer du sort des autres touristes. Constance Fisher avait été pour une grande part responsable de ce désintérêt... La musicienne, avec ses airs supérieurs, en savait moins que Julia sur les mystères de l'île et ignorait qu'on en voulait à ses yeux et à ses oreilles. La jeune femme imagina un instant un visage aux orbites creuses, portant deux grands trous à l'emplacement des oreilles. La virtuose continuait à jouer du violon dans le salon des Werner, aveugle et sourde, et Vincent chantait avec entrain son histoire de chauve-souris tandis qu'Angela servait le thé en minaudant... Julia devait se l'avouer : l'attitude de Constance Fisher à son égard, son indifférence, l'avait piquée au vif.

La porte à sa gauche ouvrait sur la chambre de Victoire. La jeune femme décida de commencer par là son inspection des lieux.

La pièce, étouffante, sentait le renfermé, l'étoffe vieillie et la poussière. Julia tourna sur elle-même comme une toupie : elle était cernée de regards fixes qui semblaient la dévisager. Combien de poupées de toutes sortes la vieille avait-elle entassées dans sa chambre ? Visages de porcelaine, de caoutchouc, de plastique dur, de chiffon... Une invraisemblable collection... Les plus anciennes pièces semblaient avoir été restaurées. En ouvrant les tiroirs d'une commode, Julia découvrit des bras, des jambes, des mains, des pieds, des yeux de poupées et des mèches de chevelure humaine. Dans un placard, quelques fillettes infirmes attendaient qu'on les répare : l'une était borgne, une autre unijambiste, et une troisième était chauve.

La jeune femme se sentit rapidement mal à l'aise dans cet univers figé qui singeait la vie. De toute façon, elle avait toujours détesté les poupées, leur préférant, petite fille, la douceur et la mollesse des ours en peluche.

Elle quitta rapidement la chambre de Victoire pour explorer celle de Joséphine.

Au premier abord, elle se crut dans une confiserie ou un stand de fête foraine. De grands bocaux, remplis de pastilles colorées, s'alignaient sagement sur des étagères qui couraient le long des murs de la pièce. Des milliers de bonbons, de berlingots... En approchant de plus près, Julia se rendit compte qu'il s'agissait de boutons. Chacun semblait unique par sa forme ou sa couleur. Elle eut une pensée attendrie pour sa grand-mère, une ancienne couturière, qui engrangeait « au cas où » des chutes de tissu, des boutons de vêtements si usés qu'on avait dû les jeter. « Ça peut toujours servir, dépanner... » disait-elle pour justifier son attachement aux petites épaves d'étoffe, de plastique et de métal qu'elle rangeait soigneusement dans des boîtes à biscuits, des pots de café vides.

Julia en avait assez vu... Elle retourna dans sa chambre.

Certes, les jumelles avaient un goût prononcé pour la collection, mais par quelle sorcellerie étaient-elles passées des poupées et des boutons aux têtes humaines plongées dans la cire ?

— *N'essayez pas d'élucider cette étrangeté que mes tantes elles-mêmes sont incapables de comprendre... D'ailleurs, elles n'en éprouvent pas le besoin. Elles sont tout à leur passion. Et votre tête est la prochaine sur leur liste...*

— Merci de me le rappeler ! grogna Julia en fixant le vide d'un regard foudroyant.

— *Moins fort, Julia !*

— La maison est déserte et je n'ai pas l'habitude de parler sans prononcer un mot !

— *Comme vous voudrez...*

— Et si je les tuais avant la pleine lune ?

— *Qui ? Vous ne pourrez jamais les tuer tous à la fois et c'est pourtant ce qu'il faudrait... Il vous serait facile, je suppose, de dominer mes vieilles tantes et d'en débarrasser le monde, mais que feriez-vous face à Frank Tellier, à Vincent et à tous les autres ? Les Snarkiens sont les maillons d'une même chaîne. À peine auriez-vous éliminé deux d'entre eux que les autres le sentiraient et se vengeraient en vous arrachant les yeux, vous découpant les oreilles, vous bouffant la cervelle et vous rognant jusqu'à l'os...*

— J'ai peur, Denis... Vous comprenez ça ?

— *Oui, et c'est pour ça que je suis là, pour vous aider à ne pas céder à la panique et à vous tirer de cet enfer...*

— Mais qui a rêvé tout cela ?!

— *Certainement pas la petite Alice...*

# CHAPITRE

# XVIII

## LES IMPURS

Les frères Korliakov étaient bien les hommes de la situation... À son retour de voyage, Frank, fier comme un coq, nous annonça l'arrivée d'une cargaison de nains. Dans la foulée, en échange d'une poignée de diamants, un bateau nous apporterait bientôt la chair fraîche nécessaire à notre survie. Un certain capitaine Smith serait notre contact et prendrait note de nos commandes en matière première, ustensiles, objets et consommables divers qui pourraient nous manquer.

— Nous voilà sauvés ! s'exclama le Coordinateur. Nous allons préparer l'arrivée de notre main-d'œuvre... Il nous faudra tout d'abord construire une porte infranchissable par nos chers petits gnomes à l'entrée de la galerie... Frank, une fois de plus, pouvons-nous compter sur toi ?

— Pour sûr ! Les serrures, c'est mon truc... Il nous reste suffisamment d'acier pour que je nous fabrique une porte de vingt centimètres d'épaisseur ! Comme j'ai pensé à tout, nos sept nains seront livrés avec un stock de chaînes, de boulets et de lampes de mineurs... Ils devront vivre enfermés dans la galerie. Je me propose pour en être le gardien. J'irai chaque jour apporter leur *pitance à nos esclaves, surveiller leur rendement et collecter les diamants qu'ils auront extraits. En peu de temps, le sous-sol de cette île deviendra un véritable morceau de gruyère, un labyrinthe de galeries étincelantes.*

*Georges Tellier serra son neveu dans ses bras :*

*— Pourvu que tu aies raison, mon petit, et que tout le sous-sol de Snark recèle une infinité de pierres précieuses !*

*Tout était au mieux dans le pire des mondes...*

*Vous qui me lisez aujourd'hui, je me dois de tout vous dire sur la barbarie des miens. Durant l'absence de Frank et de Vincent, les Snarkiens avaient assassiné tous les enfants que la cendre verte n'avait pas atteints. Tous ceux qui avaient été jugés trop jeunes pour assister aux funérailles avortées de ce cher Richard. C'étaient là des maillons qui ne pouvaient trouver leur place dans la chaîne de cette nouvelle race, maudite par la lune. Angela égorgea ses deux filles, âgées de 3 et 5 ans. Richard étrangla le fils que lui avait donné ma sœur... Vous devez me trouver lâche, mais j'ai laissé le massacre s'accomplir, sachant qu'en m'y opposant je me condamnerais à subir le même sort que ces malheureux innocents. Dans notre cimetière où reposaient déjà les plus anciens d'entre nous, nous creusâmes une sorte de fosse commune, destinée aux « impurs ». Si vous ne sauvez pas votre peau, c'est là que finiront vos restes, avec ceux d'autres voyageurs et le corps de ces enfants qui furent bannis par leurs propres parents... Lâcheté, oui, penserez-vous peut-être, sans même imaginer le courage et le sang-froid dont il me fallut faire preuve pour supporter sans sourciller cette atrocité. Quand je m'étais retrouvé* enfin seul, j'avais pleuré, hurlé, frappant du poing les murs de ma chambre.

À son retour de voyage, Vincent avait félicité sa femme de son « heureuse initiative »...

Les nains débarquèrent bientôt sur l'île. Pour les attirer dans les mailles de leur filet, les Korliakov avaient créé une fausse association « le Club de loisirs pour les personnes de petite taille ». Ils proposaient des séjours de vacances, des voyages, des activités sportives et culturelles entre gens souffrant de la même différence. Snark, l'île paradisiaque, était, à cette occasion, devenue un lieu où tout avait été construit à la dimension des nains. La proposition était d'autant plus alléchante que l'association demandait une somme dérisoire aux participants.

On avait transformé la taverne, que tenait la femme de Frank Tellier, en la meublant de tables et de chaises d'enfants. Là, on avait servi un repas de bienvenue aux sept petits hommes qui s'étaient montrés un peu déçus de ne constater aucune présence féminine parmi eux. On avait glissé dans le plat principal un puissant soporifique...

Les nains s'éveillèrent le lendemain matin, enchaînés, dans la galerie de diamant. Des pioches et des lampes les attendaient, ainsi qu'un petit wagonnet que Frank avait construit pour leur permettre de charrier les pierres précieuses. Le Boucher avait trouvé un rôle à sa mesure, celui de garde-chiourme. Il allait « mener tout ce petit monde à la baguette »... Ses esclaves, après avoir hurlé au scandale, s'étaient mis au travail au sein de leur galère souterraine. « Pas de diamants en quantité suffisante, rien à boire et à manger ! » les avait prévenus leur geôlier.

Quand le capitaine Smith reprit la mer le surlendemain, le Coordinateur avait été en mesure de lui confier de quoi payer les services rendus par les frères Korliakov. Notre dette réglée pour la livraison de notre main-d'œuvre sur mesure, nous attendions désormais la prochaine cargaison, celles de nos futures victimes de la pleine lune.

J'eus la velléité de libérer les nains... mais seuls Georges et Frank Tellier possédaient la clef de la lourde porte qui fermait la mine. Quand bien même aurais-je réussi à dérober le trousseau de l'un ou de l'autre, libérant les esclaves de leur prison et de leurs chaînes, qu'aurais-je pu attendre d'une armée sans armes, composée de soldats dont le plus grand atteignait tout juste la taille d'1,15 m ? Comme tous les Impurs, nous finirions tous les huit dans la fosse commune du cimetière de Snark.

J'avais de plus en plus de mal à tenir mon rôle de « maudit » et envisageais avec horreur le retour du navire du capitaine Smith.

Selon Frank, les Korliakov, après avoir dissout leur fausse association, avaient projeté de monter une sorte d'agence de voyages itinérante pour recruter des touristes susceptibles de subvenir à nos besoins. Vous qui me lisez aujourd'hui avez dû tomber dans le piège infâme tendu par ces deux brigands... Si vous parvenez à quitter cet enfer, vous ne les retrouverez probablement jamais ; je ne suis pas sûr que les deux frères agissent sous leur véritable nom... L'idéal serait pourtant que Snark soit définitivement coupée du continent.

Julia aurait volontiers pris un plaisir sadique à

découper les jumeaux en petits morceaux. Elle ignorait désormais ce qui prédominait en elle, de la peur ou de la rage. Comme une girouette affolée par des vents contraires, elle ne savait plus où donner de la tête, quelle direction choisir : sauver ses compagnons d'infortune ? Libérer les nains qui devaient continuer à trimer sous ses pieds ? Éliminer (et par quel moyen ?) la race des Snarkiens ? Ne penser qu'à sa propre survie ? Il y avait de quoi devenir fou.

La prochaine pleine lune, selon le calendrier établi par Denis, aurait lieu le 18 août... Julia devrait disparaître durant la nuit du 17 pour échapper aux Tortues coupeuses de têtes. Qu'arriverait-il alors ?

Elle vérifia à nouveau la présence du couteau de Denis dans sa poche... Autant tenter de combattre un dinosaure avec un brin de paille...

— Zut ! lança-t-elle à haute voix. Vous n'auriez pas pu vous procurer un pistolet ou un fusil ? Qu'est-ce que vous voulez que je fasse avec ce putain de canif ? Que j'épluche des patates ? Que je joue au scout ? Eh ! Je vous parle, Denis Werner !

— *Du calme... Je n'ai pas un passé de gangster et j'ai toujours détesté la chasse... Frank pourrait certainement vous dépanner !* ironisa le spectre.

— C'est malin ! Vraiment très drôle... répliqua Julia au bord des larmes.

— *Pardonnez-moi... Normal que vos nerfs finissent par lâcher. Jusqu'à présent, vous aviez fait preuve d'un admirable sang-froid... Il vous faudra tenir le coup jusqu'à l'arrivée du prochain bateau, près de vingt jours à vivre comme une sauvage... Vous en êtes capable, j'en suis persuadé.*

— Qui vous dit que je parviendrai à embarquer dans ce fichu cargo ?

— *Vous. Personne d'autre que vous...*

— Et comment ? hurla la jeune femme. Par quel moyen ? En devenant la femme invisible ?!

Aucune voix ne lui répondit et elle éclata en sanglots comme si un barrage venait subitement de céder en elle.

Elle pleurait tout en tapant du poing sur son lit. La peur et la rage continuaient à se disputer ses émotions. Puis, elle se calma et songea curieusement à Aline, sa voisine, à la mère Dubois, la concierge, à la mer étale des jours qui se succédaient sans surprise, au grand vide qui l'avait habitée... *Tu en as pour ton argent, ma vieille,* songeat-elle cyniquement. *Julia au pays des horreurs...*

Le pire, c'était encore de prendre conscience que personne n'attendait vraiment son retour : ni amant, ni maîtresse, ni parents, ni chien, ni chat. Elle savait que ses amis sauraient se passer d'elle et que ses éditeurs l'avaient presque déjà oubliée. Qui l'aimait, au fond ?

— *Moi,* murmura dans sa tête la voix de Denis. *Moi, j'aurais pu vous aimer...*

Julia ne répondit pas à l'esprit, ni à voix haute, ni en pensée. Elle quitta sa chambre en claquant la porte et sortit de la maison des jumelles. Elle supportait de moins en moins sa solitude physique. Elle aurait eu besoin d'un allié en chair et en os. Elle avait renoncé à tout dialogue avec la violoniste et il lui semblait inutile de discuter avec les Rescat, qu'hébergeait Frank Tellier. Ne restait que le Pr Bachelier... Peut-être, lui, l'écouterait-il...

Elle partit à sa recherche. Elle savait que le savant passait ses journées à étudier les curiosités de l'île.

C'est sur la plage interdite qu'elle trouva le bonhomme. Accroupi dans l'eau, il tenait entre ses mains un curieux appareil. Julia approcha :

— Vous vous servez d'une longue vue pour explorer la mer, professeur ?

Bachelier sursauta, décollant son œil de la lunette.

— Vous m'avez fait peur !

Il retira l'engin de l'eau, une sorte de tube coudé.

— C'est, dirons-nous, une espèce de périscope inversé, expliqua-t-il. Il me permet à la fois d'observer le Kraken et de le photographier. C'est un objet de mon invention. Je vous passe les détails techniques, vous n'y comprendriez rien, cet engin est trop complexe...

— Probablement, lâcha Julia sur un ton sec, piquée au vif.

— Je compte écrire un livre sur cet animal fantastique en rentrant chez moi. C'est une découverte scientifique formidable ! Ce calmar géant, unique en son genre, remonte à mon avis à la préhistoire. De longues périodes de léthargie ont assuré sa survie. Si on ne le dérange pas, il ne bougera probablement plus durant des années, vivant au ralenti. Le corps de Julien Prieur a dû constituer pour le Kraken un bon réservoir d'énergie. N'est-ce pas fabuleux ?

— Quoi ? grogna Julia. Que cette saleté ait bouffé Julien ?

— Sans cet accident, je n'aurais pas pu tirer les

déductions dont je viens de vous faire part. Il ne faut pas incriminer cette bête qui n'a fait que suivre son instinct... Votre ami a été bien imprudent, vous le reconnaîtrez ! Mais il aura, sans le savoir, servi la science... Grâce à moi, le Kraken ne sera plus cité dans les parutions sur les phénomènes surnaturels ou paranormaux, mais figurera au registre des grandes découvertes scientifiques. Tous les gens encore vivants qui disent l'avoir vu et dont on met le témoignage en doute depuis toujours me béniront...

— Julien a perdu la vie dans cette aventure, professeur ! Qu'y a-t-il de plus important qu'une vie humaine ?

— La science, ma chère, la science...

— Vous êtes dingue !

Bachelier avait déjà repris son exploration sous-marine et n'écoutait plus la jeune femme.

Julia s'éloigna d'un pas coléreux, regrettant que la nature ne lui offre aucune porte à claquer. *L'instinct... rumina-t-elle. Bientôt, professeur Bachelier, vous serez à votre tour victime de la loi de la jungle ! Votre cervelle prétentieuse finira dans l'estomac de Georges Tellier... Comment pourrions-nous incriminer ce pauvre homme qui a besoin de digérer votre savoir pour assurer sa survie ?*

# CHAPITRE

# XIX

## SNARK, TERRE DE SANG

La cargaison des futures victimes débarqua sur l'île une dizaine de jours avant la prochaine pleine lune. Les Korliakov, qui s'étaient mués en voyagistes, avaient conseillé à Frank d'octroyer un sursis aux « touristes ». Il fallait qu'ils se croient réellement en vacances, débarrassés de tout stress, sereins, détendus, pour constituer une matière première parfaite. La tension rendait la chair nerveuse, dure, la peau ridée, les yeux fatigués...

Le Coordinateur recevait chez lui un chercheur du CNRS ; mes deux vieilles tantes accueillait un artiste peintre ; Angela et Vincent hébergeaient une jeune institutrice aux yeux noirs ; Richard avait mis la main sur un footballeur du même groupe sanguin que lui et Frank s'apprêtait à nourrir les siens d'une famille de paysans potelée et saine ....

J'étais le seul à n'héberger personne. Je commençais à regretter de m'être inventé une malédiction, ou plutôt un don de solitaire. Si les événements m'avaient laissé un temps pour la réflexion, j'aurais pu m'imaginer un partenaire sur mesure, un complice futur qui m'aurait aidé à supprimer la race maudite des Snarkiens et à sauver les autres touristes du mauvais sort qui les guettait au tournant de ce séjour de rêve. Au lieu de cela, je m'étais condamné à un isolement sans espoir de secours. Me serait-il possible de rallier les vacanciers à ma cause sans passer pour un fou ?

Dans les jours qui suivirent, je regardai avec dépit nos invités vivre dans la plus innocente insouciance, profitant du soleil, de l'azur, de l'exotisme merveilleux de Snark. J'en éprouvai presque de la colère. J'avais du mal à me retenir de hurler, de traiter tous ces inconscients d'imbéciles. Peine et cause perdues d'avance... J'avais tout intérêt à garder le silence si je tenais à rester en vie. Ils auraient ri, chacun à leur manière, et m'auraient trahi sans le vouloir ni le savoir. Le chercheur aurait tenté de me prouver l'absurdité des faits que j'aurais avancés... Le peintre et l'institutrice m'auraient découvert une fabuleuse imagination... Le footballeur et la famille de cultivateurs auraient haussé les épaules devant mon absence de bon sens...

Durant les dix jours qui précédèrent la pleine lune, je fus la proie d'une insupportable torture. Je m'éveillais plusieurs fois par nuit, hanté par des images atroces. Je voyais Frank, le menton dégoulinant de sang, les dents plantées dans la cuisse charnue d'un enfant. Je voyais la tête du chercheur, ouverte comme un œuf à la coque et Georges, une cuillère à la main, se régalant de la matière grise de sa victime. Je voyais l'institutrice, énucléée, les oreilles sanglantes. Je voyais le footballeur, exsangue, pâle comme un fantôme. Je voyais une guillotine s'abattre dans un bruit mat sur le cou du peintre. Je me voyais parfois, seul au bord d'une falaise, comme le Christ abandonné de tous sur le mont des Oliviers, martyr destiné à la crucifixion, à la trahison meurtrière des siens...

Le Coordinateur avait réuni les touristes pour un banquet d'adieu en plein air. On avait installé une grande table devant la taverne et Cécile Tellier avait régalé nos invités de plats fins et de champagne. Elle avait pris soin de leur servir une nourriture droguée, épargnant les assiettes des Snarkiens. Comme les nains, nos hôtes, gorgés de somnifères, s'endormirent bientôt, la tête entre leurs bras, mais contrairement à nos mineurs, ils avaient sombré dans un sommeil que je savais sans espoir de réveil.

Le Boucher et sa famille se jetèrent sur leurs proies pour les dévorer toutes crues. L'herbe se couvrit d'une nappe écarlate, absorbant le sang comme un buvard. Frank, les yeux exorbités, s'était emparé du corps de l'homme et Cécile de celui de la femme. Leurs enfants s'étaient attaqués à pleines dents à leurs jeunes homologues. Des bêtes sauvages... et encore, je n'ai jamais vu d'animal se délecter de sa proie avec un tel sadisme. Les cannibales gloussaient en mangeant, riaient à s'étouffer, nous offrant un spectacle digne d'un film d'épouvante.

Joséphine s'était absentée un moment, revenant avec une hache qu'elle tendit à sa sœur. Victoire, se mordant les lèvres dans une excitation extrême, abattit le tranchant de son arme sur le cou de l'artiste peintre dont la tête roula sous la table, comme ivre.

J'étais resté assis à ma place, pétrifié, le corps lesté de plomb, sans réaction, dans l'incapacité de me lever. Abruti par ces images de carnage, je demeurai ainsi un long moment, comme absent de moi-même.

Le Dr Tellier, épaulé par Angela, Vincent et Richard, transporta les corps de l'institutrice, du footballeur et du savant dans ce qu'il appelait sa salle d'opération, une sorte de laboratoire qu'il avait aménagé dans le sous-sol de sa maison. Je me contentai d'imaginer les

opérations chirurgicales dont le Coordinateur serait
l'artisan, scalpel, trépan et transfuseur sous la main.

Le massacre des touristes m'apparut bientôt
presque comme un soulagement... Mes cauchemars,
enfin réalisés, allaient peut-être cesser d'envenimer
mes nuits. La réalité avait dépassé la fiction de mes
pires rêves.

Je dus assister sans broncher, sans montrer la
moindre émotion, à l'ensevelissement des restes des
victimes dans la fosse commune où séjournaient
déjà le cadavre de « nos » enfants sacrifiés. Je vomis
dans le sable, recouvrant ma bile comme un chat ses
déjections. J'avais victorieusement dépassé le seuil de
l'intolérable. Du moins le croyais-je... car la solitude qui
s'étendait devant moi à l'infini se révélerait bientôt le
pire des cauchemars. Mes compagnons d'autrefois me
faisaient horreur et j'entrevoyais la prochaine pleine
lune avec angoisse, sachant qu'il me serait impossible
de supporter à nouveau une telle barbarie.

Tout piètre navigateur que j'étais, j'envisageai tout
d'abord de m'enfuir sur le voilier qui nous avait tous
amenés ici. J'avais bêtement oublié que le bateau était
solidement amarré à une borne, au bout d'une énorme
chaîne fermée par un cadenas dont seul le
Coordinateur possédait la clef. Georges ne se séparait
jamais de son trousseau, qu'il gardait accroché à sa
ceinture. J'aurais dû le tuer pour mener à bien mon
dessein d'évasion. C'était rageant car j'étais à peu près
certain de retrouver la côte, une côte, n'importe laquelle.
Je savais approximativement où se situait notre île.
Nous avions croisé au nord-ouest des Açores et découvert
Snark en gardant ce cap.

En désespoir de cause, je décidai de disparaître en

*regagnant la caverne que j'avais découverte. J'emportai avec moi un nécessaire de survie, celui que je vous laisse aujourd'hui en héritage...*

*Rapidement, cette situation me parut absurde : je n'allais pas finir mes jours terré comme une bête traquée ! Les Snarkiens, convaincus désormais que je n'étais pas des leurs, organisaient régulièrement des battues. Je les entendais parfois passer tout près de ma cachette, le Boucher à la tête de la meute, réclamant le sang de l'Impur. La poitrine oppressée, je me recroquevillais alors au fond de mon antre, les doigts serrés à devenir exsangues sur le manche de mon couteau.*

*La solitude, la peur, l'ennui, l'emprisonnement sans espoir d'évasion me sont devenus intolérables. Je ne me suiciderai pas ; je n'ai ni cette lâcheté ni ce courage... Les Snarkiens me cherchent ? Je vais aller à eux, les mains vides.*

*À vous de jouer !*

*Bientôt, ils auront ma peau, c'est inévitable. C'est peut-être même un Werner qui tuera Denis Werner...*

Julia referma le cahier qui finissait comme il avait commencé. Elle se demanda ce qu'elle allait bien pouvoir en faire... Il restait des pages vierges à la suite de celles qu'avait noircies Denis. Peut-être, comme lui, éprouverait-elle bientôt la nécessité d'écrire son histoire... Mais pour qui ? Elle n'avait eu pour sa part aucun rêve prémonitoire lui annonçant la venue d'un futur lecteur... et puis, elle comptait fermement se tirer de ce guêpier, avec sa tête solidement ancrée sur ses épaules.

Elle décida de remettre le récit du mort là où elle l'avait trouvé, dans le coffre de la caverne.

Dans la nuit précédant la pleine lune, elle viendrait à son tour s'enterrer dans ce terrier de lapin qu'éclairait une lumière timide. On la chercherait, c'était certain. Elle paniquerait dès qu'elle entendrait des pas résonner à la surface et, comme Denis, elle serrerait le manche de son cran d'arrêt à se briser les phalanges.

Elle laissa son esprit dériver, rêva qu'elle découvrait dans le monde imprévisible de Snark un champignon dont un côté serait susceptible de la faire grandir, comme dans *Alice...* Elle s'imagina géante, chaussant du soixante-dix fillette, enjambant les rochers, les ronces, les forêts de l'île à pas d'ogre nanti de bottes de sept lieues. Elle attraperait les jumelles par le bas de leur jupe et intervertirait les têtes de Joséphine et de Victoire comme on démantèle une vulgaire poupée, et puis, elle ferait pivoter leur cou pour leur placer les yeux dans le dos. Quant aux autres Snarkiens, elle les prendrait au creux de sa main pour les jeter au Kraken dans le vaste aquarium de la mer, sans omettre d'y ajouter une pincée de Pr Bachelier... Quand les Tortues, désorientées, croyant avancer quand elles reculaient, auraient cessé de l'amuser, elle les enverrait d'une pichenette rejoindre la lune dont elles étaient esclaves.

Julia éclata de rire en songeant qu'elle était en train de perdre la tête...

# TROISIÈME PARTIE

## L'AVALANCHE
### DES CARTES

# CHAPITRE

# DESCENTE DANS

## LE TERRIER DU LAPIN

Julia gagna sa cachette en pleine nuit. La lampe torche qu'elle avait volée aux jumelles n'éclairait guère que ses pieds, laissant à peine présager ce qui l'attendait au pas suivant. La lune, presque ronde, ne dispensait qu'une faible lumière blanche à travers le feuillage luxuriant des arbres géants. La jeune femme avait l'impression de s'enfoncer dans un labyrinthe végétal sans commencement ni fin. Elle avait perdu le sens des distances. La caverne de Denis ne lui avait jamais paru si lointaine. Plusieurs fois, elle s'égara ou trébucha sur le piège sournois des ronces couchées en travers de son chemin.

Elle s'était chargée d'un sac léger, contenant quelques effets personnels et une poignée de fruits et légumes qu'elle avait chapardés dans la cuisine des Tortues. La liste des comestibles établie par Denis mentionnait une espèce d'orange à la peau bleue, gorgée d'eau. Il suffisait d'en trouver l'écorce et de boire le liquide comme le lait d'une noix de coco. Julia commençait à avoir soif mais hésitait à ouvrir la seule orange qu'elle avait emportée. Il aurait été stupide de transporter des bouteilles d'eau jusqu'à la cachette. Selon Denis Werner, les fruits bleus poussaient aux environs de la grotte et suffiraient à étancher sa soif. Quant à la nourriture, il n'y avait qu'à se baisser pour ramasser les étranges légumes à la saveur exquise que Julia avait eu l'occasion de goûter chez les jumelles.

Enfin, elle sortit de ce qu'elle avait baptisé la jungle… Elle savait que le trou menant à la caverne était tout proche et avança à pas mesurés, la lampe brandie devant elle. Pas question de prendre le risque de se rompre les os en dégringolant sur l'échelle, qu'elle avait laissée en place pour justement éviter une nouvelle chute. Jouer une fois les Alice lui avait suffi…

La lune, devenue plus généreuse dans cet espace à découvert, la guida de bonne grâce jusqu'à l'entrée du terrier. Julia descendit prudemment les échelons avec le sentiment, à mesure qu'elle s'enfonçait sous la terre, de se glisser dans son propre tombeau. La nuit, usant de tous ses sortilèges, rendait l'endroit terrifiant. Le silence était lourd comme une pierre tombale, les ombres esquissaient des figures monstrueuses sur les parois de la grotte, des diablotins insaisissables jaillissaient dans le halo de la torche. Julia s'empressa d'allumer la lampe tempête dont s'était autrefois éclairé Denis.

Elle sortit son couteau de sa poche et perça l'orange bleue dont elle but goulûment le contenu.

Elle déplia ensuite la couverture que contenait le vieux coffre et choisit un coin où s'allonger. Elle avait besoin de se sentir protégée, de recréer une forme d'intimité dans ce qui pourrait fort bien devenir une prison. *La solitude, la peur, l'ennui, l'emprisonnement sans espoir d'évasion...* avait écrit Denis dans son cahier. Tous ces mots couleur anthracite la laissaient démunie et sombre. Pourquoi ne finirait-elle pas comme son fantôme familier, lasse de vivre cachée dans un trou ?

Elle s'emmitoufla dans la couverture, le dos appuyé contre la roche, ne pouvant se résoudre à éteindre la lampe. Elle resta là longtemps, assise dans la galerie souterraine, les yeux ouverts sur le vide, se demandant si elle n'allait pas finir, à force d'inertie, par se fondre avec la pierre pour se transformer en gargouille de l'enfer. Comme ses bras et ses jambes commençaient à s'engourdir, elle sentit soudain un frôlement sur sa joue, une course de pattes affolées sur sa peau. Elle sursauta, plaqua sa main contre son visage. Ses doigts se refermèrent sur une présence agitée, large comme sa paume et couverte de poils. Dans la lueur de la lampe, elle découvrit une énorme araignée qu'elle lâcha sur le sol en hurlant. Jamais elle n'en avait vu de cette taille. La bête noire et velue retomba sur ses huit pattes tentaculaires et repartit à l'assaut, progressant avec détermination vers la jeune femme qui bondit sur ses pieds, jetant la couverture au loin. Elle tâta son crâne qui avait heurté le plafond. Un filet de sang coula sur ses doigts. Elle regarda en grimaçant ses phalanges rougies puis baissa les yeux. L'araignée avait entrepris de lui escalader la jambe droite...

— Dégage, saloperie ! cria Julia en lançant son genou en avant.

L'arachnide continuait sa progression, comme

soudé par des ventouses ou de petits crochets au jean de Julia.

La jeune femme extirpa son couteau de sa poche. D'une pression du doigt, elle en fit jaillir la lame et la planta sans réfléchir dans le corps velu de la bestiole. Julia sentit comme une brûlure sur sa cuisse : elle avait épinglé l'araignée dans sa propre chair... L'animal battit des pattes quelques instants puis se ramassa tout entier sur lui-même, noir sur rouge, au cœur de la tache de sang qui auréolait le pantalon de Julia. La jeune femme arracha le cran d'arrêt de sa cuisse dans une grimace de douleur et le secoua pour se débarrasser du cadavre de l'araignée. Le souffle court, elle retomba assise contre la roche.

*Jamais je ne pourrai dormir là-dedans,* se dit-elle.

— *Vous auriez préféré tomber dans un puits de mélasse, comme les petites filles de Lewis Carroll ?* ironisa la voix muette de Denis Werner.

Julia haussa les épaules :

— Je me demande ce qu'aujourd'hui je pourrais préférer en dehors de n'avoir jamais existé...

— *Gardez espoir...* murmura le fantôme.

Elle regarda dans la lumière tremblotante le corps recroquevillé de l'énorme araignée. Elle éprouvait un dégoût viscéral pour ces bestioles. Elle repensa au champignon d'Alice et se vit avec horreur croquer le côté qui faisait rapetisser. Elle imagina une minuscule Julia confrontée au monstrueux arachnide, comme dans *l'Homme qui rétrécit* de Richard Matheson. Armée d'une aiguille à coudre, elle se jetait contre sa redoutable adversaire, visant le cœur... Mais les araignées avaient-elles un cœur ? Cette question l'occupa un moment, devenant provisoirement fondamentale, puis l'angoisse la reprit entre ses serres.

*Qu'est-ce que je fiche dans ce trou à rats ?*

Une vingtaine d'années plus tôt, elle s'était, se souvint-elle, déjà interrogée de la sorte... Elle avait alors à peu près 12 ans. Dans la forêt qui jouxtait le château de la petite ville qu'elle habitait, elle avait découvert avec des camarades un mystérieux souterrain. Pour y accéder, il fallait descendre au fond d'un trou de près de deux mètres de profondeur. Tout le monde parlait depuis des lustres d'un trésor enfoui dans les environs par les anciens châtelains, qui avaient pris la fuite à la Révolution en empruntant des passages secrets.

— Je suis sûre qu'il est là-dedans ! s'était écriée Julia, enthousiaste. On doit y aller !

Ses copains avaient hoché la tête mais l'un d'eux, plus raisonnable que les autres, avait mis en avant les risques d'effondrement du souterrain. Du coup, l'excitation de la petite troupe était retombée.

— Vous n'êtes tous qu'une bande de froussards ! avait lancé la fillette intrépide. Puisque c'est comme ça, j'irai seule. Quant au trésor, vous pourrez toujours vous brosser pour que je le partage avec vous ! Allez ! Tout ce que je vous demande, c'est de tenir la corde pour que je descende et de m'attendre, que je puisse remonter...

Elle avait franchi à quatre pattes l'entrée de la galerie souterraine, au bord de l'asphyxie. À un mètre de là, elle s'était arrêtée net, retenant un hurlement, nez à nez avec une chauve-souris qui semblait dormir, la tête en bas. En le regardant de plus près, Julia s'était aperçue que l'animal était mort et comme momifié. On voyait nettement le squelette de ses mâchoires, ses petites dents de vampire découvertes par le travail d'orfèvre de la décomposition. Un peu plus loin, deux de ses semblables avaient subi le même sort, comme surprises par la mort dans leur sommeil si particulier. La fillette était restée immobile, renonçant à aller plus avant dans son exploration. Les autres, là-haut, l'avaient appelée, inquiets, mais elle n'avait pas daigné leur répondre. Il lui fallait sauver la face, laisser croire à ses camarades qu'elle s'était déjà enfoncée trop loin dans le souterrain pour pouvoir entendre leurs cris. Elle contemplait les chauves-souris desséchées dont les pattes griffues s'étaient fondues à la roche calcaire, étranges stalactites animales, se demandant comment elles avaient pu finir ainsi. À force d'inertie, peut-être Julia risquait-elle de se transformer en stalagmite humaine… *Qu'est-ce que je fiche dans ce trou à rats ?* Une dizaine de minutes s'étaient écoulées depuis sa descente et la fillette commençait à se trouver un peu ridicule. Ce qu'elle faisait dans ce trou à rats ? C'était simple : elle crânait, jouait les exploratrices sans peur, les grandes aventurières de cinéma.

Finalement, elle s'était décidée à sortir de la galerie, les genoux et les mains couverts de terre. Toisant ses camarades du fond de sa fosse, elle s'était écriée :

— C'est bourré de chauves-souris et d'énormes araignées ! J'ai été obligée de faire demi-tour car, à un endroit, le passage a été bouché par une chute de pierres.

Ses copains l'avaient aidée à remonter de son trou, admiratifs, et depuis lors, elle était devenue leur chef, celle qui n'avait peur de rien.

Comme on croyait tout ce qu'elle racontait, elle s'était prise au jeu des fictions dont elle était l'héroïne et elle inventait, inventait, inventait, sans jamais se lasser. Il fallait s'y attendre : la petite conteuse, à l'âge adulte, était devenue romancière...

Aujourd'hui, il lui semblait que le sort l'avait punie pour ses mensonges enfantins, la jetant au cœur d'une aventure incroyable qu'elle aurait préférée fictive.. Elle aurait aimé s'éveiller dans son petit appartement parisien, la tête entre les bras, devant son ordinateur allumé et une phrase inachevée. Elle aurait voulu que Snark soit née du terreau de son imagination d'écrivain, que l'île n'ait jamais existé hors les pages d'un livre.

— *Vous devriez vous reposer...* chuchota sous son crâne la voix d'outre-tombe, devenue familière.

— Vous pouvez parler ! Les araignées ne risquent pas de vous grignoter les orteils ! grogna Julia.

— *Quel sale caractère vous avez !* grinça le fantôme. *Je préférerais être avec vous en chair et en os... Pas de bol ! Je suis mort...*

— J'ai conscience des réalités, voilà tout ! Et vous, là-haut, là-bas ou je ne sais où, vous en êtes définitivement à l'abri !

— *Pas vraiment...* dit l'esprit avec une pointe de tristesse. *Pas vraiment, puisque je me suis attaché à* vous et que, du coup, vos réalités sont devenues également les miennes.

— Parfait... mais seriez-vous capable de prendre ce couteau et de me défendre ?

— *Ma chère, si à cet instant je le pouvais encore, je hausserais les épaules ! Vous maniez ce cran d'arrêt à la perfection ! Je vous suis utile autrement... Vous avez tout appris de Snark grâce à moi et je vous tiens compagnie.*

— Un peu trop à mon goût ! s'énerva la jeune femme. Je ne peux plus penser tranquille depuis que vous êtes à mes côtés.

— *Vous me faites de la peine, Julia... Je croyais... Enfin, vous me plaisez beaucoup... Et vous, comment me trouvez-vous ?*

La jeune femme soupira :

— Je ne vous trouve pas, Denis, comment le pourrais-je ?

# CHAPITRE

# XXI

## LA MARE DE LARMES

Les plats sont drogués ! Vous m'entendez ? Drogués ! Vous allez tous vous endormir pour ne plus jamais vous réveiller. Vous ne passerez pas la pleine lune ! Il y a une malédiction, un sort. Les habitants de cette île vont tous vous tuer !

Julia hurlait mais personne, en dehors des Snarkiens, ne semblait accorder le moindre crédit à sa mise en garde. Le Coordinateur fronçait les sourcils tout en essayant de garder un air détendu.

Rescat, le père de famille obèse, s'était levé :

— C'est un délicieux repas d'adieu et vous venez jouer les trouble-fête !

La violoniste grimaçait, l'air dégoûté, en regardant Julia :

— Vous êtes venue nous gâcher notre plaisir ! Nous en sommes presque au dessert et je dois ensuite jouer une pièce de Vivaldi. Professeur Bachelier, que pensez-vous de cette femme ? Elle n'est pas normale, n'est-ce pas ?

— Ma chère Constance, certains romanciers deviennent fous. À force de nous raconter des histoires, ils finissent par s'en raconter, confondant réalité et fiction. Julia Stenzo est un cas de ce

genre, intéressant à étudier pour des psy-
chiatres… Docteur Tellier, quel est votre avis à ce
propos ?

— Ma foi, je crois que Julia devrait prendre place
parmi nous autour de cette table. Une chaise l'y
attend. Angela réchauffera le repas de notre retar-
dataire. Allons ! Venez donc vous asseoir entre
Richard et Victoire, chère mademoiselle Stenzo…

— Jamais ! Vous m'entendez ? Jamais ! Qu'ils
crèvent tous s'ils le veulent mais je ne finirai pas
décapitée et vidée de tout mon sang ! Vous êtes
tous pires que le Kraken ! Le monstre, au moins,
ne cherche pas à se faire passer pour ce qu'il n'est
pas. Les bêtes sauvages ne connaissent pas l'hypocrisie, elles !

L'obèse ricanait. À peine assis, il s'était de nouveau levé :

— Quelqu'un peut-il faire entendre raison à
cette folle ? Elle nous gâche la fin de notre séjour !
Avec elle, le paradis de Snark commence à virer à
l'enfer ! En trois mots : elle nous emmerde !

Julia s'apprêtait à protester mais le
Coordinateur et son neveu Richard s'étaient déjà
emparés d'elle et l'éloignaient de la table du banquet, l'entraînant vers la maison de Georges.

Le laboratoire du docteur était sinistre et froid
comme un caveau. En quelques secondes, Julia
s'était retrouvée attachée sur une sorte de table
d'opération dont la surface métallique lui glaçait le
dos. L'haleine de la mort flottait en ce lieu souterrain qui sentait l'éther, la viande putréfiée et le
moisi. Des champignons verdâtres couraient le
long des murs humides. La pierre semblait suinter

de toutes les terreurs, de la sueur de tous ceux que l'on avait assassinés ici. *Les entrailles de l'enfer... Je suis tombée dans les entrailles de l'enfer...* ressassait Julia avec horreur. Denis l'avait pourtant prévenue : inutile de compter sur ses compagnons de voyage... À vouloir les sauver, elle allait être la première à mourir. C'était un comble !

— Bon, mon oncle, on y va ?

— Ne sois pas si pressé, Richard ! Pense un peu à Joséphine et à Victoire ! Que feraient-elles d'une tête vidée de son sang, aux muscles flasques, à la peau chiffonnée ? Mon petit, tu as toujours été très égoïste... Tu auras la part qui te revient mais il nous faut procéder avec rigueur, dans l'ordre logique des opérations. Une jolie tête d'écrivain pour les jumelles et le sang pour toi...

— Elle risque d'en perdre beaucoup si on lui tranche d'abord la tête...

— Aie confiance en moi, je saurai stopper l'hémorragie et recueillir pour toi chaque goutte vitale. Tu survivras à cette pleine lune, comme d'habitude.

— Je préférerais qu'on s'occupe de moi en premier... Quelle importance pour les vieilles ? De toute façon, leur tête d'écrivain finira dans la cire ! J'ai déjà été lésé par ce fichu Kraken, je ne vais tout de même pas me laisser posséder par ces deux folles ?!

Julia écoutait les deux hommes se chamailler, profitant de ce sursis pour tenter de défaire ses liens. Elle sentait contre sa cuisse le couteau désormais inutile que lui avait légué Denis Werner. Il fallait bien l'accepter : elle était soudée sans espoir d'évasion à la table d'opération de Georges Tellier. Bientôt, l'oncle et le neveu tomberaient d'accord et c'en serait fini de la vie de Julia Stenzo. Que l'on commence par la décapiter ou par lui pomper son sang n'avait, dès lors, plus aucune espèce d'importance. Ensuite... ensuite ses restes iraient rejoindre ceux de son amant virtuel dans la fosse commune réservée aux Impurs.

Pourvu qu'elle ne sente rien, que tout aille très vite ! Elle regrettait maintenant de n'avoir pas mangé le repas truffé de somnifères du banquet d'adieu...

Georges Tellier tenait une tronçonneuse vrombissante dans sa main droite :

— C'est un moyen sûr et efficace... Je laisse la hache aux bûcherons expérimentés... Mon petit Richard, maintiens le seau au ras de la table...

Le Coordinateur souriait. Julia, les yeux hagards, voyait la lame hurlante et dentelée s'approcher de sa gorge...

— *Non !* hurla-t-elle en ressentant une brûlure intense lui dévorer la poitrine.

Elle s'éveilla en sursaut. La couverture était en feu. Dans son sommeil, Julia avait dû renverser la lampe tempête de Denis.

Elle écrasa les flammes à coups de talon et parvint à maîtriser le début d'incendie en espérant que les Snarkiens n'avaient pas repéré la fumée noire qui s'échappait de la grotte.

Comment avait-elle pu s'endormir dans ce trou à rats ?

Elle chercha l'araignée du regard et constata que le feu en avait dévoré le cadavre.

*Le feu,* songea-t-elle, *et si je mettais le feu à cette île diabolique ?*

— Pour construire votre propre bûcher ? murmura la voix de Denis.

— Je viens de faire un abominable cauchemar, se contenta de répondre Julia. Et ce n'est pas le premier... Quand tout cela cessera-t-il ? Faut-il que je meure pour échapper à ces visions d'horreur ?

— *Non,* dit la voix avec fermeté, *il suffira que les miens meurent... Alors, l'île perdra son nom et jusqu'à son existence. Et puis, vous n'entendrez plus parler de moi...*

— Vous me quitterez ?

— *Que feriez-vous d'un fantôme ? Vous l'avez dit vous-même : vous ne me trouvez pas ! Pour vous, je ne suis qu'un souffle de vent qui porte des mots. Un jour, le vent tombera... C'est la vie...*

— C'est la mort...

— *Oui, si vous voulez... Nous reprendrons plus tard cette discussion métaphysique, si vous n'y voyez pas d'inconvénients... Il y a plus urgent... et plus terre à terre, je vous l'accorde. Savez-vous l'heure qu'il est ?*

— Ma foi, c'est le matin... Il est... commença Julia en relevant sa manche pour consulter sa montre.

— *Il est un peu plus de 10 heures et l'heure de vous taire quand vous souhaiterez communiquer avec moi... Car les Snarkiens ne vont pas tarder à partir à votre recherche... N'oubliez pas qu'ils ont doublement besoin de vous, de votre charmant visage d'écrivain et de votre sang généreux...*

— Laissez le « charmant » de côté ! Vos vieilles tantes s'en fichent ! C'est une tronche d'écrivain qu'elles veulent exposer dans leur épouvantable musée. Je pourrais être très moche que ça ne ferait aucune différence !

— *Leur musée ? Vous employez là un bien grand mot ! Ce n'est jamais qu'un grenier que Joséphine et Victoire sont les seules à visiter... Ce n'est pas le musée Grévin, Julia ! Vous n'auriez même pas cette satisfaction en perdant la tête dans cette histoire : inutile d'espérer que des millions de visiteurs vous rendent la vie jour après jour et se rappellent avec nostalgie votre destin hors du commun. Vous n'avez pas le choix, il vous faut survivre !*

— Rassurez-vous, je ne compte pas servir de support aux araignées pour tisser leur toile dans le grenier de ces deux vieilles folles ! D'ailleurs, je me constituerais avec plaisir une collection personnelle en commençant par la tête de vos tantes ! Cela dit, l'une d'entre elles ferait double emploi...

— *Arrêtez de crier, je vous en supplie ! Je tiens à vous davantage qu'à mes parentes. Et même, je ne souhaite plus que la mort des monstres qu'elles sont devenues !*

— Vous les aimiez, avant ?

— *Pas vraiment, je dois l'avouer...*

— Et puisqu'on parle de votre famille, où sont vos père et mère ?

— *Ils reposent dans le cimetière de Snark, dans la crique, ensablés comme d'antiques cadavres égyptiens. Ils sont morts ici, en paix, avant la chute des cendres vertes... Bientôt, j'espère les retrouver. C'étaient des gens bien, vous savez... Je suis heureux qu'ils aient échappé à cette foutue malédiction. Que seraient-ils devenus ? Par quelle obsession auraient-ils été habités ? Si le sort avait voulu qu'ils deviennent esclaves des caprices de la lune, ils se seraient probablement joints à mes meurtriers... Dieu merci, cette horreur m'a été épargnée ! Et vous Julia, où sont vos parents ?*

La jeune femme, dans un flot de larmes, se contenta de penser comme le lui avait conseillé Denis, incapable qu'elle était d'articuler le moindre mot.

— Papa, maman, l'accident... Papa et maman sont morts... En ce temps-là, je ne regardais plus la lune avec les jumelles de guerre de mon grand-père, je ne creusais plus la terre à la recherche des histoires du lointain passé de l'humanité... Je venais d'avoir 17 ans et je nourrissais des prétentions d'écrivain. J'avais passé les vacances d'été chez mes grands-parents à écrire une histoire tragique... Mon père et ma mère devaient venir me chercher pour la rentrée scolaire. Ils ne sont jamais arrivés. Un camion, vous voyez, un monstre qui doublait une voiture dans une côte.

— *C'est triste...* chuchota Denis. *Je regrette de vous avoir posé cette question. Et puis, vous avez raison : je ne vous sers physiquement à rien. Je ne peux même pas vous prendre la main...*

Julia se ressaisit :

— Vous vous rappelez « la mare de larmes » dans *Alice* ? Ce n'est pas le moment de nager dans mon propre chagrin au risque de m'y noyer... dit-elle à voix basse.

— *Et cette histoire tragique que vous avez écrite cet été-là... De quoi parlait-elle ?*

— Vous ne le croirez peut-être pas, mais je racontais l'histoire d'une jeune fille qui perdait sa famille dans un accident de la route dû à l'imprudence d'un chauffard. Mon héroïne décidait de retrouver l'homme et de se venger... Longtemps j'ai pensé que je pouvais être responsable de la mort de mes parents, comme si ma fiction s'était réalisée. Durant quelques années, je n'ai plus osé toucher un stylo. Plus tard, quand j'ai repris l'écriture, je me suis évertuée à ne raconter que des choses impossibles. C'est ainsi que je suis devenue un auteur de fantastique et de science-fiction.

— *Quelle drôle d'histoire...*

— D'autant plus drôle que j'ai aujourd'hui le sentiment que la réalité dépasse mes fictions les plus folles...

— *Qu'espériez-vous trouver en venant à Snark ?*

— Ça. Exactement ça ou presque... J'aurais préféré inventer les habitants de cette île et leurs malédictions plutôt que de devenir un réel personnage de cette intrigue infernale. J'étais vide, vidée, sans appétit aucun lorsque j'ai reçu la proposition alléchante des frères Korliakov. C'était une chance, la chance de ma vie d'écrivain en rade, et aujourd'hui, je me rends compte que l'on ne m'offrait rien d'autre que la chance de mourir d'une manière originale. Depuis que je suis ici, j'ai l'impression de naviguer à travers les pages d'un roman dont je serais l'héroïne...

— *Un peu comme si vous étiez finalement passée de l'autre côté du miroir...*

— C'est exactement ce que je ressens... mais j'aimerais signer cette fiction et cesser d'en être le jouet.

# CHAPITRE

# XXII

## LA CHASSE

Des bruits sourds résonnaient dans la caverne. Des pas, au-dessus de la tête de Julia, martelaient le sol. Par mesure de sécurité, la jeune femme avait retiré l'échelle qui menait au fond du trou. Elle priait maintenant de toutes ses forces pour que les hommes qui s'agitaient là-haut ne découvrent pas la cavité. Il était un peu plus de 11 heures et on devait la chercher pour qu'elle participe au bien nommé repas d'adieu...

— Quelles idiotes, ces jumelles !

Julia reconnut la voix de Richard Tellier.

— Elles ont laissé s'échapper l'écrivain !

— Allons, calme-toi... Julia Stenzo a peut-être tout simplement décidé de faire une promenade avant le déjeuner, dit le Coordinateur.

— C'est ça ! Elle est sortie sans prendre de petit déjeuner...

— Et alors ? Elle n'avait peut-être pas faim...

— Et pas sommeil non plus !

— Que veux-tu dire, Richard ?

— Son lit n'a pas été défait et d'après les vieilles, qui sont des fouineuses de première, certains de ses effets personnels manquent. De plus, des vivres ont disparu de la cuisine. Ajoutons à cela que notre invitée a emprunté une lampe torche à ses hôtes et cela ne fait plus aucun doute : Julia Stenzo doit être considérée comme une fugitive ! Elle s'est enfuie la nuit dernière, la veille du grand jour... Elle a dû, je ne sais comment, découvrir quelque chose. Nous devons absolument la retrouver ! Elle représente un grand danger pour notre communauté.

— Si tu as raison, mon neveu, le temps presse... Comment pourrions-nous expliquer son absence aux autres convives ?

— Et comment pourrais-je me passer d'elle ? hurla Richard.

— Eh eh ! ricana la voix grinçante du Boucher. Tu es tombé amoureux, frangin ?

— La ferme, Frank ! Si nous n'étions pas de la même race, c'est ton sang que je prendrais ! Tu es bien du groupe O, non ?

— Arrêtez de vous engueuler tous les deux ! vociféra le Dr Tellier. Vous devriez avoir honte !

— Euh... Puis-je avoir la parole, Georges ? demanda quelqu'un timidement.

— Évidemment, Vincent ! Qu'avez-vous à dire ?

— Ne serait-ce pas catastrophique si cette jeune femme surgissait à l'heure du banquet pour avertir ses compagnons ?

— Pourquoi aurait-elle pris le risque d'attendre le dernier moment pour intervenir ?

— Oui, évidemment, concéda Vincent Werner, ce ne serait pas très malin. Mais si elle ne servait que d'appât, histoire de nous éloigner de nos maisons ? Imaginons que ses petits camarades soient déjà au courant de notre secret... En partant à la chasse, nous avons perdu notre place... Tous les hommes de notre race sont ici... Nos femmes sont restées seules et le piège s'est peut-être à l'heure qu'il est refermé sur elles. Mon épouse, celle de Frank et les jumelles ne sont peut-être plus de ce monde. Les touristes nous attendent peut-être, armés jusqu'aux dents, pour nous régler notre compte...

— Arrêtez avec vos *peut-être* ! lança le Coordinateur. C'est agaçant, à la fin ! D'où sortez-vous de pareilles sornettes ? Vos oreilles ont déjà commencé à vous jouer des tours ? Finissons-en une fois pour toutes ! Quelqu'un parmi vous pourrait-il me dire par quel miracle Julia Stenzo aurait pu découvrir notre secret ? Vous restez tous muets comme des carpes ! Personne n'a de théorie à nous exposer ?

— Georges, osa Vincent Werner, il y a peut-être un traître parmi nous...

— Vous savez pertinemment que c'est impossible ! Les enfants impurs ont tous été exterminés et le seul traître qui ait jamais existé, un membre de votre famille si je ne m'abuse, pourrit aujourd'hui dans la fosse commune du cimetière. Vous savez très bien que nous sommes tous soudés par la malédiction, qu'aucun d'entre nous ne pourrait nuire aux autres. La solidarité est entrée dans nos gènes.

Un lourd silence tomba. Julia, l'oreille aux aguets, espérait entendre bientôt la meute s'éloigner. De sa tanière, elle apercevait le bas d'un pantalon, redoutant que son propriétaire ne recule d'un pas... Vincent ? Georges ? Ou bien Frank ? Si le Boucher atterrissait malencontreusement sur le tapis de mousse de la grotte, Julia pourrait commencer à numéroter ses abattis...

Le bas de pantalon disparut et la jeune femme poussa intérieurement un soupir de soulagement.

— De toute façon, nous devons la retrouver ! clama le Coordinateur d'une voix de stentor. Ensuite, nous verrons bien si elle est ou non notre ennemie. Ne restez pas plantés là ! Frank, pars à l'ouest ! Que tes fils explorent le nord ! Richard s'occupera de l'est... Vous, Vincent, retournez vers le sud... La chasse est ouverte ! Moi, je vais aller superviser les préparatifs du banquet, et faites-moi confiance, je suis certain de ne découvrir aucun cadavre de Snarkienne !

Les hommes s'éloignèrent enfin...

« Le seul traître qui ait jamais existé pourrit aujourd'hui dans la fosse commune du cimetière »... Julia avait du mal à imaginer un corps à Denis Werner. Pour elle, il n'avait plus rien d'humain, c'était une voix dans sa tête, un spectre familier dont elle ignorait la matière mais qu'elle imaginait encore plus impalpable que l'air. Elle songea avec horreur à l'homme dont elle avait vu la photographie, le visage aujourd'hui recouvert de cire, poussiéreux, et le corps rongé par la vermine au fond de la fosse commune. Elle avait depuis toujours éprouvé cette espèce de fascination macabre qui forçait son esprit à desceller des tombeaux, à ouvrir des cercueils et à se repaître de la vision des charognes que la mort laissait derrière elle.

C'était à chaque fois stupéfiant de se dire : « voilà à quoi se réduit finalement une vie d'homme, voilà à quoi se réduisent un corps qui en a serré d'autres contre lui, des mains qui ont frappé et caressé, des yeux qui se sont gorgés d'images, une bouche qui a prononcé des millions de mots, goûté des saveurs par milliers, une oreille qui a vibré aux musiques les plus subtiles, un cerveau plein de pensées et de souvenirs... » Au décès de ses parents, elle avait voulu voir les cadavres. L'accident n'avait pas trop abîmé les corps. Les Stenzo étaient des morts présentables, aux blessures internes, invisibles. En les regardant, Julia avait espéré décrypter les mystères de la mort. Son père avait les yeux mi-clos comme quelqu'un qui somnole et c'était troublant. La jeune fille avait eu l'impression que le cadavre continuait à la regarder dans l'entrebâillement de ses paupières. Elle lui avait touché la joue et avait aussitôt retiré sa main comme si elle venait de se brûler. Le feu de la glace... Elle s'était alors rappelé ses jeux de petite fille dans la neige, ses doigts rougis, gelés, brûlants... Le regard bleu de papa, qui filtrait à travers ses cils immobiles, avait un reflet de banquise. Julia avait parlé, crié, secoué les corps en pure perte : papa et maman étaient ailleurs, ou n'étaient plus...

— Que se passe-t-il, Denis, après la mort ? demanda-t-elle à l'invisible.

— *Julia*, dit doucement la voix du disparu, *je ne peux pas vous le dire... Vous ne pourriez pas comprendre. Je suis d'ailleurs incapable de trouver les mots pour vous répondre.*

— J'ai l'impression d'entendre le Pr Bachelier, cette espèce de prétentieux qui m'a traitée comme une idiote !

— *Calmez-vous… Imaginez-vous dans le ventre de votre mère, encore à l'état d'embryon. Seriez-vous, à ce stade de votre croissance, capable de comprendre ce qu'est la vie après la naissance ? Il me semble évident que non… Eh bien, considérez la mort comme une naissance et tâchez de vous considérer comme un embryon… Tout ce que je peux vous dire, c'est que ma place est ailleurs, que je ne suis là que pour vous et que bientôt, je partirai. La mort est un passage… N'en suis-je pas la preuve… vivante ?*

Julia ne put s'empêcher de rire nerveusement.

— *Ne riez pas, Julia, la vie est autre chose qu'une ligne droite qui va d'un point à un autre…*

— Alors, ironisa la jeune femme, je ferais tout aussi bien de me suicider immédiatement ! Plus de Snarkiens ! Plus de touristes ! Plus de frères Korliakov ! Plus d'oranges bleues pour la soif ! La liberté !

— *Le problème*, nota le fantôme, *c'est que vous ne croyez pas vraiment à tout ça…*

— Je suis presque prête à y croire !

— *Presque… C'est-à-dire pas du tout ! Quand on a presque réussi quelque chose, cela signifie qu'on l'a raté, non ?*

— Logiquement, oui, reconnut la jeune femme.

— *Et logiquement, Julia, vous avez encore des choses à faire dans cette vie, vous êtes attachée à cette réalité, à ce monde au sein duquel vous avez encore votre place. L'instinct de conservation, de survie, n'a pas cessé de vous habiter. Vous avez tué l'araignée géante, vous avez éteint l'incendie qui prenait dans la grotte, vous êtes restée immobile et silencieuse quand la meute des Snarkiens s'est arrêtée à deux pas de votre antre... Pourtant, ils se sont lancés dans une chasse dont vous êtes le gibier. Il serait facile de vous laisser capturer... Mais vous gardez encore une lueur d'espoir.*

— Un jour, je ferai comme vous, c'est ma destinée... Je suis dans une impasse. Je me livrerai à ces chiens, ne supportant plus ma propre compagnie, cette solitude pesante et jamais sereine.

— *Mais c'est trop tôt... Ne soufflez pas la flamme avant l'heure ! Laissez la mèche se noyer seule si jamais elle le doit.*

—Ai-je le choix ?

— *Ni plus ni moins que les Snarkiens... Si j'avais été victime de la pluie de cendres vertes et m'étais découvert des besoins vitaux monstrueux, j'aurais, pour ma part, mis fin à mes jours, me serais jeté dans la gueule du Kraken, histoire que mon corps serve au moins de nourriture à un pauvre être dépourvu de conscience et donc de morale. Ma mort me serait apparue comme un soulagement...*

» *Ceux qui autrefois étaient encore les miens ne méritent aucune compassion, aucune pitié. Pour survivre, ils ont déjà sacrifié des dizaines et des dizaines de vies innocentes. Vous êtes, hélas, la seule que je puisse espérer sauver aujourd'hui. Les vôtres, je le regrette, n'ont jamais été les vôtres... Les Rescat sont aux antipodes de votre esprit, Constance Fisher vous toise en étoile qui regarde un vermisseau et Bachelier vous a rangée dans le tiroir des littéraires qui n'entendent rien aux découvertes de la science. Vous n'avez pas à les aimer comme des frères ! Vous n'avez pas à vous sentir responsable ou solidaire de leur sort. Quand l'heure a sonné, Julia, nul ne saurait en étouffer l'écho et faire tourner à l'envers les aiguilles du destin...*

— Mais quel est *mon* destin ? hurla Julia.

La voix de Denis s'était déjà effacée, la laissant seule dans ce trou à rats, cette impasse, avec les aiguilles qui tournaient inéluctablement au cadran de sa montre.

# CHAPITRE

# XXIII

## LES FAUX FRÈRES

Il était un peu plus de midi. Julia se demandait comment le Coordinateur avait pu expliquer l'absence de l'écrivain au banquet.

« Votre camarade a dû s'égarer… »

« Votre camarade a été croquée par le Kraken… »

« Votre camarade a choisi de rentrer chez elle à la nage… »

Julia sourit, continuant d'énumérer tous les propos imaginables.

« Votre camarade est légèrement souffrante… »

« Votre camarade déjeunera en solitaire car elle déteste votre compagnie… »

« Votre camarade a suivi un lapin blanc dans son terrier… »

« Votre camarade, Julia Stenzo, n'a jamais existé, elle est le fruit de votre imagination. Un fruit véreux en vérité… »

Elle songea ensuite à ses fameux « camarades », tous ces faux frères qui ne lui inspiraient qu'agacement ou indifférence. Ils étaient en train de mordre à pleines dents dans le fruit mensonger, succulent, de leur mort toute proche. Julia n'éprouvait rien à la perspective de l'hécatombe qui se préparait et n'en ressentait pas la moindre culpabilité. *Je suis devenue une bête*, pensa-t-elle, *une bête traquée, obsédée par sa propre survie.*

Elle n'avait pas l'esprit de clan, contrairement à ces maudits Snarkiens. Les autres voyageurs lui étaient plus lointains que le premier étranger venu qui lui aurait poliment demandé l'heure au coin d'une rue. Des milliers de gens mouraient chaque jour de par le monde, et parmi tous ces inconnus qui disparaissaient, Julia imaginait qu'elle aurait pu en aimer certains si le destin avait daigné les mettre sur sa route. Elle qui n'avait ni frère ni sœur s'en inventait des perdus d'avance dont la vie ne croiserait jamais la sienne...

Maman n'avait pu mettre qu'un seul enfant au monde, à son grand désarroi. Toute nouvelle grossesse, selon les médecins, aurait mis son existence en danger. Julia était donc restée fille unique. Quand elle avait été en âge de comprendre, ses parents lui avaient expliqué pourquoi elle n'aurait jamais de petit frère ou de petite sœur et la fillette avait gravement hoché la tête :

— Je préfère garder ma maman... Des enfants sans maman... on serait perdus et papa aussi ! Tant pis, j'ai mon nounours... et il est doux comme un frère gentil.

L'ours Childéric avait été un compagnon fidèle, un complice de toute heure, de tout chagrin, de toute joie, un confident attentif et sûr.

« Childéric Ier, fils de Mérovée et père de Clovis... » Lors d'une émission télévisée que regardaient ses parents, la jeune Julia avait retenu cette phrase d'historien et le nom de Childéric l'avait séduite...

— C'est le fils de *mes rovées*... Il s'appellera donc Childéric, avait-elle déclaré en recevant l'ours en peluche pour son anniversaire.

Sa mère, intriguée, lui avait demandé quelque éclaircissement sur le choix de ce nom.

— Eh bien, tu m'as choisi un prénom parce que j'étais la fille de *tes rovées*, non ? Julia te plaisait. Moi, c'est Childéric, même si je copie sur les *rovées* de quelqu'un d'autre, à cause de la télé...

— Ah ? Et qu'est-ce que c'est qu'une *rovée*, ma chérie ? avait demandé maman.

— C'est très simple ! avait répondu la fillette. Aujourd'hui, on dit *rêver* et avant, juste après la préhistoire, on disait *rover* et les rêves s'appelaient des *rovées*. Tu ne sais pas ça ? D'accord, c'est des mots vieux comme mes robes...

— Comme Hérode, avait rectifié sa mère.

— Tu prononces pas bien, M'man...

Childéric existait toujours. C'était peut-être la seule *personne* qui attendait le retour de Julia sur le continent. L'ours, aujourd'hui, était un peu râpé et avait perdu un œil mais il était demeuré la mascotte, le fétiche de l'écrivain. Elle continuait à lui faire partager ses peines et ses bonheurs. Si la presse avait su ça ! Oui, entre deux histoires d'amour ratées, Childéric faisait office de consolateur... Dans les creux de vague professionnels, il surgissait comme une bouée de sauvetage. C'était un *être* incapable de trahison ou de compromission, c'était l'ours Childéric, le mouchoir des pleurs d'enfant, le sourire des inventions de petite fille. Au pays des merveilles, la peluche prenait les rêves de Julia pour des réalités. Jamais la jeune femme n'avait pu se résoudre à jeter ce jouet abîmé par le temps, par les caresses et les brutalités de l'enfance. Childéric était plus qu'une chose, c'était une mémoire, un réceptacle à souvenirs. S'en séparer aurait été comme s'amputer d'une partie essentielle de soi. Il était avant tout le gardien d'un passé heureux, celui du temps où les parents étaient encore vivants.

*Des parents et grands-parents morts, un ours en peluche à l'agonie, une paire de jumelles égarée, une voisine sympathique, un fantôme, et moi et moi et moi...* songea Julia avec amertume. Elle en voulait à ceux qui auraient pu être « les siens » en cet instant critique de se montrer si différents de ce qu'elle était. Aucun partage ne s'était révélé possible avec les autres touristes. Aucun point commun n'avait émergé de cette vague humaine qu'avait rejetée sur l'île le même océan. Embarqués sur la même galère, nommée *Alice* en toute insouciance, ils étaient tous singuliers, éloignés les uns des autres comme la Terre pouvait l'être de Pluton. Julia, à cette heure-ci, qu'elle estimait fatidique, en ressentait de la colère, une sorte de fureur muette qui faisait battre le sang à ses tempes et lui tordait les lèvres dans un rictus de mépris. Des larmes coulaient pourtant sur ses joues mais c'était comme un phénomène naturel, une catastrophe aussi mineure qu'une légère tempête. Julia n'avait aucune raison de pleurer sinon de rage. Tout le monde ici-bas, dans cette île maudite, était détestable. Son seul secours venait « d'ici-haut », en l'esprit de

Denis Werner...

— *Merci,* chuchota le spectre.

— Je vous en prie... répondit la jeune femme, ce n'est rien d'autre que la réalité. Mais s'il vous plaît, pouvez-vous sortir un instant de ma tête ?

— *Vous comptez vous dévêtir ?*

— Arrêtez de plaisanter... J'ai seulement besoin de me sentir seule avec mes pensées.

— *D'accord,* dit le fantôme avec sérieux, *je comprends. N'ayez crainte, je vais fermer ce qui me sert d'yeux et d'oreilles jusqu'à ce que vous m'adressiez la parole.*

— Vous me le jurez ?

— *Si j'avais encore une main droite, je la lèverais en m'engageant sur la tête de ma propre mère !*

— Votre mère est morte, non ?

— *Oui, c'est vrai. J'avais oublié... Le seul être vivant qu'il me reste, c'est vous, en vérité. Donc, je le jure sur votre tête.*

— Je vous préviens, si jamais ma tête finit sur une étagère du grenier de vos tantes, je vous poursuivrai dans l'au-delà pour l'éternité !

Le spectre émit un rire qui semblait sortir du fond d'un puits.

Julia jeta un œil à sa montre : il était 13 heures. Ses faux frères devaient déjà s'être endormis. Malgré elle, comme elle se plaisait à imaginer la vie grouillante des cercueils, elle songea au sort réservé par les Snarkiens à chacun des voyageurs qui avaient participé de bon cœur au banquet d'adieu. Elle n'aurait pas aimé que Denis entende à ce moment-là ses pensées, un peu comme on s'évertue à cacher jusqu'au bout une petite imperfection physique à l'être aimé...

Elle s'attaqua en premier lieu à cette peste de Constance Fisher, lui coupant les oreilles au rasoir et lui sortant les yeux des orbites à la petite cuillère. Le sang giclait, éclaboussant le violon de la musicienne. Elle imagina Georges Tellier en Dr Frankenstein, devant Angela et Vincent allongés sur une table d'opération, anesthésiés, prêts à recevoir leurs greffes respectives, un organe de Corti tout frais pour l'un et un regard nouveau pour l'autre. À l'heure du thé, ils seraient en mesure de chanter à deux voix la chanson du Chapelier :

*Scintillez, scintillez, petite pipistrelle,*
*Qui doucement venez nous frôler de votre aile !*

Au même instant, Frank Tellier, sa femme et ses enfants dévoraient les gros Rescat, les rongeant jusqu'à l'os. Le Boucher se plaignait peut-être du manque de tendresse de la viande tandis que Cécile, son épouse, la trouvait trop grasse.

Richard, affolé, accourait chez son oncle, exigeant l'analyse du sang de la violoniste et du Pr Bachelier, à la recherche d'un donneur compatible.

Quant aux jumelles, renonçant par la force des choses à leur écrivain de cire, elles réclamaient la tête de Constance Fisher qu'elles pourraient toujours essayer de réparer...

Finalement, Julia plaça entre les mains du Coordinateur une scie rutilante, un trépan, et ouvrit comme un œuf à la coque le crâne de Bachelier. Georges saisissait à deux mains le cerveau du savant et portait à sa bouche ce magma prétentieux, s'en délectant comme d'une encyclopédie qui aurait contenu tout le savoir du monde.

Maintenant, on entassait les restes inutiles des touristes dans une charrette et on s'acheminait vers le cimetière de la crique pour jeter tout ce fatras de chair et d'os sans intérêt dans la fosse aux Impurs. À cette pensée, Julia revint brutalement à la réalité, abandonnant ses imaginations morbides. La peur avait soudain repris ses droits, son emprise de tenailles.

La fosse aux Impurs, ce magma d'humanité pourrissante où les morts avaient perdu jusqu'à leur nom... N'allait-elle pas, tôt ou tard, rejoindre la foule décomposée des anonymes qui reposaient dans ce trou ? Combien de temps pourrait-elle vivre cachée dans l'antre de Denis ? Pas plus tard que ce matin, la meute des chasseurs avait bien failli découvrir sa tanière. À un pas près, l'un des hommes aurait pu dégringoler à son tour dans le terrier du lapin. Frank le Boucher, Richard le Vampire...

Attendre le prochain navire pour y embarquer clandestinement lui paraissait de plus en plus illusoire. Comment tiendrait-elle le coup jusque-là ? Les jours semblaient des siècles, s'étiraient à n'en plus finir, à croire que le soleil était devenu noctambule... Et même si elle y parvenait, comment pourrait-elle se glisser dans le cargo du capitaine Smith sans être vue ? Il était vain de nourrir de faux espoirs : si elle tentait de rejoindre le port, une nuée de Snarkiens s'abattrait sur elle avant même qu'elle n'aperçoive les quais.

À *moins d'un miracle*, songea-t-elle, *je suis fichue...*

—*Tant qu'il y a de la vie...* chuchota dans sa tête

l'esprit de Denis Werner.

Et soudain, elle se rendit compte qu'elle tenait furieusement à la vie et que sa déprime d'écrivain en mal d'imagination n'était pas la mort, comme elle l'avait cru, mais un passage à vide auquel elle avait accordé trop d'importance, une importance vitale qui lui paraissait aujourd'hui dérisoire. En fait, en plein cœur de l'horreur, funambule en équilibre précaire sur un fil secoué par les vents, elle se rendait compte aujourd'hui que ce début de dépression, ce vague à l'âme tortueux, s'était paradoxalement évanoui... Elle sentait sourdre en elle la sève de mille livres. Elle aurait presque béni les frères Korliakov si elle ne les avait pas tant haïs.

# CHAPITRE

# XXIV

## LA CRIQUE DES MIRACLES

La montre de Julia indiquait 15 heures quand le ciel prit une teinte verdâtre. *Des nuages à la pistache envahissent l'azur,* songea-t-elle, amusée par cette image enfantine. Elle grimpa quelques barreaux de l'échelle pour élargir sa vision. Une luminosité obscure... C'étaient là les mots adéquats et paradoxaux pour qualifier l'étrange lueur qui inondait les cieux. Cette couleur était insensée, n'était pas à sa place. L'olivine... La lune... L'astre mort conjugué au soleil de Snark... Lumière de ténèbres...

Bientôt, les nuages épars ne formèrent plus qu'une nappe étale, posée sur l'île comme un couvercle, prête à se dissoudre en cendres vertes. Julia sauta de l'échelle pour se réfugier au fond de son terrier, dos à la paroi de pierre, là où elle avait lutté contre l'araignée gigantesque.

En un dixième de seconde, la jeune femme avait compris ce qui se tramait au-dessus de sa tête. Le phénomène relaté par Denis allait se répéter ! La pleine lune s'apprêtait à cracher de nouveau son venin, à verser son absinthe empoisonnée sur cette île perdue, ancrée hors du monde. Julia savait qu'il lui fallait se protéger de la moindre poussière tombée du ciel, au risque d'être frappée, le cas échéant, d'une malédiction dévastatrice et de rejoindre le clan des habitants dégénérés de Snark. Où étaient-ils, à cet instant, ces maudits Snarkiens ? Dans la crique, certainement dans le cimetière de la crique, en train d'enfouir les os de leurs victimes, comme des chiens.

La pluie de cendres dégringola du ciel comme une poignée de confettis, légère, ballottée par la brise. L'horreur se décomposait au ralenti comme dans certains films d'épouvante. Julia s'attendait presque à entendre un rire cynique résonner au-dehors et ricocher jusque dans les entrailles de son antre. Quelques bris de vert se faufilèrent par l'entrée du terrier, aussitôt absorbés par la terre de la caverne. Dans un réflexe de protection, Julia s'était aplatie encore plus fort contre la paroi, le dos fondu à la pierre blessante, les genoux soudés à la poitrine, se faisant toute petite.

Bientôt, les morceaux de couleur cessèrent de tomber dans la grotte. La jeune femme, ankylosée, se leva en titubant et grimpa d'un pas mal assuré le long de l'échelle. Là-haut, le ciel avait retrouvé son bleu de pure turquoise.

Si les Snarkiens, comme le pensait Julia, étaient dehors à l'instant de l'averse, que leur était-il arrivé, qu'était-il advenu de leurs anciennes malédictions ? Pouvait-on imaginer raisonnablement un retour à la normale, un processus d'inversion qui aurait rendu la petite communauté à son existence antérieure ? Le phénomène échappait à la logique humaine. Il était impossible de spéculer sur les effets de cette nouvelle chute de cendres vertes.

Elle vérifia la présence du couteau de Denis dans sa poche et décida de quitter sa cachette pour se rendre jusqu'au cimetière. Qu'avait-elle à perdre désormais ? Pas même la vie, car les Snarkiens avaient été forcés de compter sans elle pour résoudre leurs problèmes existentiels. Le partage, n'est-ce pas ? La notion de partage avait dû prendre tout son sens pour satisfaire les besoins de chacun en l'absence de l'écrivain.

Elle s'extirpa de la forêt de ronces, désormais familière, qui semblait vouloir la retenir. Curieusement, elle n'avait pas entendu le moindre chant d'oiseau, n'avait croisé aucun insecte et avait la curieuse impression que la végétation fondait dans son sillage, comme du goudron malaxé par la canicule. Quand elle voulut s'appuyer contre un arbre pour reprendre son souffle, sa main s'enfonça dans le tronc, dont le bois était devenu mou et poisseux comme du chewing-gum. Elle entendit au-dessus de sa tête des bruits étranges... Elle leva les yeux : au bout des branches, les oranges bleues éclataient comme des bulles de savon, laissant tomber sur le sol une fine bruine, un crachin d'automne. Julia se retourna : les ronces, encore géantes un instant plus tôt, s'enfonçaient dans la terre, rapetissant à vue d'œil. *Probable que le diamant de la mine ait mué en charbon,* pensa Julia. Mais les Snarkiens ?!

Tandis qu'elle approchait de la crique, elle dut s'accroupir, surprise par un vol incongru de casseroles, de poêles à frire, de ciseaux, tenailles, marteaux, couteaux et autres ustensiles qui cisaillaient l'air de leurs ailes métalliques, suivant tous la même route comme des oiseaux migrateurs, sûrs de leur destination. Julia crut qu'elle devenait folle, que sa solitude brève d'un siècle dans le trou à rats lui avait perturbé l'esprit au point de lui donner des hallucinations. Des objets vivants ? Les oiseaux avaient été remplacés par des objets ailés ? C'était absurde... mais pas plus que les arbres en guimauve, pas plus que les fruits qui éclataient comme des bulles de bubble-gum, pas plus que les plantes sauvages soudain rétractables comme un télescope... Tout, depuis le début, était absurde, de toute façon : le prospectus dans sa boîte aux lettres, Tweedledum et Tweedledee, le périple sur l'Atlantique qui avait décroché de sa montre les aiguilles du temps objectif, le capitaine Smith avec son nom de vieux naufragé, le cahier de Denis, les poupées et la collection de boutons des jumelles Werner... Tout ! Alors pourquoi les enclumes n'auraient-elles pas soudain eu des ailes ?! Lewis Carroll n'aurait probablement pas été étonné outre mesure par un tel miracle...

Julia se retourna. Les arbres, derrière elle, s'étaient recroquevillés sur eux-mêmes, comme des hérissons effrayés, formant une boule dont n'émergeait qu'une poignée de branches tordues près de s'affaisser à leur tour. Des chewing-gums pour le bon Dieu...

Snark semblait s'absorber elle-même, ou du moins raser tout ce qui affleurait le sol, l'engloutir pour s'en nourrir comme un être vivant monstrueux, une sorte de Kraken de sable, de terre et de roc. Julia avait l'impression de marcher sur une bouche immense, de se tenir en équilibre sur une lèvre charnue, au bord d'un abîme de salive.

Comme un automate qui met un pas devant l'autre sans avoir conscience de marcher, la jeune femme descendit vers la plage dévolue aux morts.

Ce qui l'attendait là dépassait ses fictions les plus biscornues. Elle devint girouette agitée par des vents contraires : le spectacle, insensé, était partout à la fois, et les acteurs de cette tragi-comédie semblaient ne pas voir leur unique spectatrice, tant était prenant le nouveau rôle que leur avait attribué la lune... Julia, déchirée entre la curiosité et la terreur, hésitait encore : devait-elle s'enfuir ou rester là à contempler ces marionnettes dont le diable devait tenir les ficelles ?

Des bulles verdâtres crevaient mollement à la surface de la fosse commune dont on n'avait pas eu le temps de rabattre le couvercle. Angela Werner, les bras tendus, avançait vers le trou glauque en hurlant qu'elle n'y voyait plus, qu'elle était devenue aveugle, que tout était noir, si noir, terrifiant... Elle appelait son mari au secours mais Vincent, qui lui tournait le dos, ne pouvait ni la voir ni l'entendre. Il vociférait lui aussi, les mains plaquées sur ses oreilles :

— Je n'entends plus rien ! Pas même le son de ma propre voix !

Cette voix s'élevait discordante, chantait faux sans espoir de réponse.

Julia étouffa un cri. Angela venait de tomber dans la fosse aux Impurs. Elle battit des bras un instant, engluée dans le magma de viscères ; sa bouche cracha quelques suppliques verdâtres, des prières embourbées dans la vengeance froide et étouffante des morts, puis la jeune femme sombra parmi ceux dont elle avait volé les yeux.

Vincent se retourna, cherchant sa femme du regard :

— Nom d'un chien ! Angela ! Où es-tu fourrée ? hurla-t-il à se briser les cordes vocales.

Au loin, à la lisière des vagues, Frank Tellier et sa famille couraient le long de la plage, poursuivis par les casseroles, les poêles et autres objets métalliques que Julia avait vus voler vers la crique. Le Boucher et les siens semblaient s'être transformés en aimants. Quand Julia approcha, presque malgré elle, comme aimantée elle aussi, elle sentit son cran d'arrêt bouger dans sa poche. Dans un sursaut de terreur, elle appuya sa main contre sa hanche.

Frank était maintenant bardé d'une étrange armure en kit. Il avançait, pataud, tragique et ridicule, titubant sous le poids du métal qui cliquetait à chacun de ses pas. Une âme damnée traînant ses chaînes... Un fantôme de bande dessinée... Une étrange machine humaine, un robot de science-fiction aux yeux exorbités... Les objets continuaient d'affluer. Julia, comme un soldat surpris par une pluie de bombes, terrassée par la frayeur, se coucha à plat ventre sur le sable pour éviter d'être frappée par un fer à repasser ou une marmite. Cécile et ses enfants poussaient des hurlements inhumains, talonnés par une armée de couteaux qui piquaient droit sur eux comme des avions de guerre. Les trois gosses, à bout de souffle, s'effondrèrent bientôt sur le sol, le corps criblé de lames. Le sang jaillissait comme par les trous d'une pas-

soire. Cécile Tellier, peut-être par instinct mater-
nel, s'arrêta brusquement de courir et se retourna, le regard rempli d'effroi. Elle ouvrit la bouche,
comme pour crier mais la hache qui venait de la
rejoindre en tourbillonnant dans les airs s'abattait
déjà sur sa gorge. La tête tranchée tomba dans le
sable, les yeux levés au ciel. Une nappe écarlate se
répandit autour du cou de Cécile, formant une
auréole, une sorte de socle, tandis que de son
corps esseulé s'élevait un jet de sang régulier
comme celui d'une fontaine. Julia, dans un haut-le-
cœur irrépressible, plaqua sa main contre ses
lèvres pour tenter d'endiguer le flot de bile qui
déjà coulait entre ses doigts, vert et visqueux. Elle
n'était pas au cinéma ou errant dans un cauchemar. Tout cela était vrai, si épouvantablement vrai...
Même les Snarkiens n'avaient pu mériter un tel
sort... C'était une réaction idiote, mais la jeune
femme ne put se retenir d'appeler au secours, elle
ne savait qui, elle ne savait quoi.

Le Boucher, désormais comme une viande sur
l'étal d'un ogre, persistait à attirer à lui tous les
objets métalliques de la création. Incapable maintenant de faire un pas, il ressemblait à une sculptu-
re d'art moderne qui se construisait peu à peu
sous les mains d'un artiste invisible. C'était à peine
si on voyait encore son visage émerger de cet
amas de ferraille. *Il va finir par étouffer,* se dit Julia,
la gorge serrée par l'angoisse. Elle détourna les
yeux, cherchant du regard les autres Snarkiens,
mais ne les trouva pas. Seul Vincent continuait d'ar-
penter la plage en aboyant comme un chien enra-
gé, sans souci des objets qui volaient autour de lui.

Un marteau, bien inspiré, mit fin à son calvaire en lui défonçant la tête avant de rejoindre la carapace de Frank.

— Et de six ! ne put s'empêcher de s'exclamer Julia sans parvenir à déterminer si c'était de soulagement, de cynisme ou d'effroi...

Un bruit sourd se fit alors entendre, comme le grondement d'une avalanche encore lointaine. La jeune femme scruta le paysage derrière elle. L'étrange rumeur provenait des terres et non de la mer comme elle l'avait d'abord supposé. Stupéfaite, elle vit bientôt débouler sur la plage une épaisse plaque de métal qui soulevait le sable sur son passage comme une tempête. Julia eut juste le temps d'apercevoir une serrure creusée dans le monstre d'acier que déjà il s'était envolé vers la mer. Une porte... C'était une porte digne de la salle des coffres de la Banque de France. *Une porte en colère, qui est sortie de ses gonds,* songea-t-elle, au bord du fou rire nerveux. Dans son sillage, la porte avait entraîné une poignée de petits hommes enchaînés qui lançaient des cris perçants. L'énorme plaque métallique acheva sa course au pied de la statue du Boucher et s'abattit d'un seul coup sur tout ce bazar de ferraille, écrasant une fois pour toute l'horrible et pathétique Frank Tellier. Les nains s'échouèrent le nez dans le sable, libérés de leurs entraves que l'aimant humain avait, malgré lui, brisées avant de mourir.

— Ils sont morts ? Nous sommes libres ? demanda l'un d'eux, l'air hébété.

— Il en reste quatre, répondit Julia, retrouvant brutalement son sang-froid, et ils avaient quitté la plage quand je suis arrivée.

— Mais que s'est-il passé ? poursuivit le nain.

— Une malédiction... Le ciel leur est tombé sur la tête. Je vous expliquerai...

# CHAPITRE

# XXV

## LA DERNIÈRE PARADE

## DES MONSTRES

Julia et les sept nains entrèrent triomphants dans le village de Snark. Ils se sentaient en force face aux deux vieilles Tortues et aux deux hommes survivants. La petite armée s'était équipée de couteaux et de haches prélevés sur le corps, désormais dénué de tout magnétisme, du défunt Frank Tellier.

— La clef du cadenas qui retient le voilier amarré... Voilà ce qu'il nous faut récupérer à tout prix, avait décrété Julia. Et c'est à Georges Tellier que nous devons l'arracher, à moins qu'elle ne fasse partie de la tonne de ferraille qui recouvre le corps de Frank... Enfin, on pourra toujours dégoter une scie à métaux pour couper la chaîne du bateau...

Les nains avaient acquiescé. L'un d'entre eux avait une petite expérience de la voile et s'affirmait capable de guider les autres jusqu'à la côte sans trop de détours. Il n'était certes pas un navigateur émérite, loin de là, mais avec la boussole et les indications de Denis Werner, il saurait probablement se débrouiller.

— L'essentiel, n'est-ce pas, avait noté le marin en herbe, c'est de se tirer de là au plus vite, non ? Nous aurons peut-être la chance de rencontrer un autre navire qui nous prendra à son bord...

Avait-on le choix, de toute façon ? Il n'était pas question d'attendre le capitaine Smith et son équipage, à la solde des jumeaux Korliakov.

— Où peuvent-ils bien être ? s'interrogea un nain à l'air bougon.

*Grincheux...* songea Julia avant de répondre :

— Probablement chez eux, morts ou vifs... Suivez-moi, nous allons en avoir le cœur net.

Richard Tellier était plus mort que vif. Assis sur un fauteuil d'osier, cerné par une odeur putride, il semblait ne plus oser bouger. Des lambeaux de peau se détachaient de son visage, laissant apparaître une chair verdâtre qui peu à peu se liquéfiait. Le ressuscité perdait son masque de vivant pour retourner à l'état de cadavre qu'il n'aurait jamais dû quitter.

Julia et ses compagnons, pétrifiés par l'horreur, regardaient le zombi, incrédules et muets.

— Fichez le camp ! marmonna Richard d'une voix cassée.

Et comme il parlait, sa lèvre inférieure s'était décrochée de sa bouche devenue grisâtre. Ses yeux, désormais dépourvus de paupières, fixaient Julia de leur rondeur exorbitée. L'homme s'effondrait comme un château de cartes. Ses mains décharnées glissèrent bientôt des accoudoirs du fauteuil pour s'écraser par terre. Son nez dégoulina le long de son menton, de sa poitrine, roulant à ses pieds que la gangrène de la mort avait déjà rongés jusqu'à l'os.

La décomposition le rattrapait, après lui avoir accordé un sursis de quelques années. L'effet miraculeux des premières cendres vertes n'était plus qu'un souvenir, un regret pour Richard Tellier. La lune avait brisé ses propres sortilèges.

Julia, comme les badauds qu'attirent les corps sanglants d'un accident de la route, ne pouvait s'empêcher de regarder cet homme qui n'en était plus un, ce cadavre encore palpitant d'une vie d'humus, de moisissure, de pourriture grouillante.

Au pied du fauteuil se répandait une flaque d'un vert noirâtre. Dans un cliquetis d'os, le squelette de Richard s'écroula sur le sol, désarticulé comme un pantin dont on a lâché les ficelles.

— Mais qu'est-ce qui se passe dans cette saleté d'île ? grogna le nain que Julia avait surnommé Grincheux.

La jeune femme haussa les épaules :

— Des choses extraordinaires qui dépassent notre entendement...

*La lune a abattu les Snarkiens comme des cartes à jouer. C'est l'avalanche des cartes rouges, comme dans Alice...* se dit-elle.

La maison des jumelles était étrangement silencieuse, comme inhabitée. D'habitude, on entendait toujours les Tortues se chamailler pour un rien... Julia laissa les nains en faction dans l'entrée et entreprit d'explorer les lieux, son couteau à la main. La salle à manger, le salon, la cuisine, les chambres, tout était vide et muet. Elle eut alors l'idée de monter au grenier.

La porte était restée ouverte. En entrant, la jeune femme trébucha sur une tête. Une tête tranchée... dont le sosie parfait avait roulé à quelques pas de la première. Deux haches ensanglantées reposaient sur le plancher aux côtés d'un corps, de deux corps qui semblaient réunis en un. Joséphine et Victoire, accolées par la hanche, étaient devenues siamoises...

Julia s'imaginait sans peine la scène, regrettant presque de n'y avoir pas assisté.

« Nous n'avons jamais eu de siamoises ! » avaient dû constater en chœur les jumelles... Et chacune avait souhaité ajouter la tête de l'autre au musée du grenier. La femme monstre, unique et double, avait tourbillonné telle une toupie sous le regard glacé des effigies de cire, nantie de deux haches qui battaient l'air comme les ailes d'un curieux oiseau métallique. Dans un accord enfin parfait, sans plus de chicaneries, les jumelles s'étaient simultanément enlevé la vie, poussant à l'unisson un cri de triomphe et de souffrance mêlés.

En regardant les têtes, on n'aurait su dire laquelle était celle de Victoire et laquelle provenait du corps de Joséphine. Julia, dans un accès de compassion... ou de sadisme vengeur, eut la velléité de faire bouillir le chaudron de cire pour achever le travail commencé par les sœurs...

La jeune femme récupéra son sac dans sa chambre et rejoignit la troupe des nains.

— Alors ? demanda le Marin.

— Elles sont mortes, elles se sont entre-tuées...

Le petit homme leva les sourcils d'étonnement.

— Je suppose, dit-il, que ça fait partie de la logique absurde des choses...

Ne restait plus que le Coordinateur qui n'avait plus rien, plus personne à coordonner... Peut-être était-il déjà mort lui aussi ?

— Venez ! ordonna Julia. Nous allons chez Georges Tellier, peut-être le plus coriace de ce petit monde d'affreux.

Les nains, couteau ou hache au poing, la suivirent sans broncher. Ils semblaient lui faire confiance. Elle en savait davantage qu'eux sur les malices de cette île. Ils avaient vécu sous terre durant des années, ignorant ce qui se passait à la surface. Ils ne comprenaient pas très bien cette histoire de cendres vertes que Julia avait tenté de leur résumer. Dans leur idée, ils avaient été capturés et vendus par des négriers, devenant les esclaves sur mesure des Snarkiens pour l'exploitation de leur mine de diamant.

— On nage en pleine fiction ! s'était écrié l'un d'eux. Il y a de quoi virer dingue ! J'ai du mal à croire ce que j'ai vu... Notre ancien gardien enterré sous une tonne de métal, cet homme en décomposition... Si je rêve, c'est un cauchemar. Pincez-moi !

Et Julia, le prenant au mot, lui avait pincé le bras.

— Eh ! C'était façon de parler ! avait protesté le petit homme. Je pense que nous devons vous croire, que nous devons accepter l'incroyable...

Le Dr Tellier ne semblait pas seul. On entendait deux voix monter du laboratoire.

— Vous aviez dit que c'était le dernier ! s'offusqua Grincheux. Qui est l'autre ?

— Je l'ignore, avoua Julia, je suis aussi surprise que vous... Peut-être un rescapé de la dernière cargaison de touristes...

La jeune femme ouvrit la marche, poussant la porte qui menait au sous-sol. Elle descendit doucement les escaliers et s'arrêta, se tournant, un doigt sur la bouche, vers ses compagnons. Deux voix, oui, se répondaient ou plutôt s'invectivaient. Celle du Dr Tellier et, Julia l'aurait juré, celle du Pr Bachelier. Ce dernier ricanait :

— Alors, minable ? Tu croyais pouvoir me voler mon savoir en toute impunité ?

— Taisez-vous à la fin ! Je n'en peux plus de vos sarcasmes !

— Georges, fais-moi plaisir, regarde-nous dans une glace...

— Je ne veux plus vous voir !

— Georges, quelle est la racine carrée de deux cent soixante-treize ?

— Je voudrais dormir !

— C'est bête, car je n'ai pas sommeil.

— Je vais vous tuer ! Vous entendez ?

Bachelier ricana de nouveau :

— Tu es si pressé de mourir, Georges ? N'oublie pas que tu es notre Coordinateur !

Julia, n'y tenant plus, s'engagea dans la pièce en brandissant son cran d'arrêt. Elle faillit laisser échapper son arme en se retrouvant face au monstre qu'était devenu Georges Tellier. L'homme était bien le seul survivant. Seulement, une seconde tête s'était frayé un chemin sous son front, laissant apparaître, telle une excroissance maladive, le visage suffisant du Pr Bachelier.

— Tiens ! nota le savant. Voilà notre écrivain ! Et regardez derrière elle, mon petit Georges... Sept nains ! La voilà qui joue les Blanche-Neige ! Dieu que c'est drôle !

— La ferme ! hurla Tellier en se prenant la tête, ou plutôt les têtes, entre les mains.

— Lequel d'entre eux s'appelle Prof ? continua Bachelier.

— Sauvez-moi ! cria l'ex-Coordinateur à Julia. Découpez-moi cette engeance au scalpel, je vous en prie ! Il me rend la vie impossible !

— Sois raisonnable, Georges. Nous ne disposons que d'un seul cerveau pour deux pensées. Le partage, tu connais, non ? Nous sommes désormais deux en un et, sans vouloir te forcer la cervelle, j'aimerais que nous poursuivions mes recherches sur le Kraken...

— Je... Je ne peux rien pour vous, balbutia Julia en tremblant de tous ses membres. Vous... De toute façon, vous étiez déjà un monstre de la pire espèce...

— Alors ! hurla Tellier. Je serai le seul à avoir pitié de moi !

Tel un bélier, il se jeta la tête la première contre un mur et cogna, cogna jusqu'à ce qu'il s'effondre, inerte, sur le carrelage ensanglanté du laboratoire. Son visage était grimaçant ; celui de Bachelier, pourtant écrasé, semblait s'être figé dans un sourire d'ironie.

— C'est fini, dit Julia en décrochant de la ceinture de Tellier la clef tant convoitée du cadenas. Nous sommes libres...

Elle tendit la clef au marin :

— Allez-y, je vous rejoins...

Les nains s'éloignèrent...

— Denis ? appela la jeune femme. Êtes-vous

toujours là ?

— *Enfin seuls !* soupira le fantôme. *Nous allons devoir nous dire adieu... Je n'ai plus rien à faire ici.*

— Je vous regretterai...

— *Pas autant que moi, Julia. Maintenant, fuyez d'ici et n'oubliez pas de prendre la boussole et mon cahier.*

— Ne vous inquiétez pas.

— *Bonne chance !*

— Denis ?

Le spectre était devenu muet. *À jamais... Muet à jamais...* se dit Julia, le cœur étreint d'une trouble tristesse. *Pour toujours...* »

Et puis elle rit, comme pour conjurer les larmes qui lui montaient aux yeux :

— Comme quoi il ne faut jamais s'attacher à un spectre !

Une heure plus tard, le voilier appareillait.

Tandis que l'on s'éloignait de la côte, avec le nain « marin » pour capitaine, l'île se mit à sombrer, s'enfonçant dans les eaux comme un navire naufragé, aux flancs pourfendus. Julia eut une pensée chagrine pour la tête de cire de Denis... Snark fondait, se liquéfiait comme un iceberg taraudé par mille soleils, ne laissant bientôt derrière elle qu'une mer étale...

# CHAPITRE

# XXVI

## ÉPILOGUE

C'était étrange de constater comme rien, à Paris, n'avait changé. Julia avait repris sa vie coutumière avec l'impression d'entrer dans un monde surnaturel. En une dizaine de jours, qui avait semblé un siècle, Snark était devenue le seul univers réel. Le retour à cette autre réalité s'apparentait à un rêve. Tout paraissait tenir du miracle, les choses, les immeubles comme leurs habitants.

À son arrivée, la jeune femme avait contemplé le métro, les réverbères, les feux de signalisation, comme des objets inconcevables, surprenants. Elle avait été projetée dans le présent comme un archéologue plonge dans le passé.

La foule l'avait submergée, engloutie dans sa gueule vorace de Kraken et chaque individu qu'elle avait pourtant eu l'habitude de côtoyer avait pris un aspect fantomatique, encore plus irréel que le spectre de Denis Werner...

La concierge l'avait accueillie avec des propos ineptes sur le temps et les fameuses normales saisonnières.

— Alors, ces vacances ? avait demandé la mère Dubois.

— Formidables, avait répondu Julia.

— Il a fait beau ?

— Un temps magnifique, une mer superbe, un décor de rêve…

— Vous étiez où au fait ?

— Aux Açores… Dans une île des Açores.

— Y en a qui ont de la veine… Les Açores, c'est un peu comme les Canaries, non ?

— À peu près, madame Dubois.

— Vous avez pris des photos ?

— À vrai dire, j'avais oublié mon appareil…

— C'est dommage parce que les photographies c'est des souvenirs qui font rêver et on peut les montrer aux autres. Dommage…

Julia s'était plu à imaginer la tête de la Dubois devant les images qu'elle aurait pu rapporter de son voyage : les siamoises décapitées, Frank Tellier en statue d'art moderne, le Coordinateur aux deux visages…

Quand la jeune femme prit le thé avec Aline, sa voisine et amie, elle persista à mentir, convaincue que personne ne croirait à l'aventure qu'elle venait de vivre :

— C'était une sorte d'arnaque, tu avais raison, une île des Açores où l'on avait construit une sorte de Disneyland baptisé Snark…

— Bah ! soupira Aline. Au moins le séjour ne t'a vraiment pas coûté cher…

*Presque la vie*… songea Julia, mais elle répondit :

— Détrompe-toi ! Sur place, tout était payant. Et à un prix exorbitant !

— Tu fais bien de me prévenir, nota son amie. Si un jour, je reçois une proposition du même style, elle ira directement à la poubelle !

— Je ne saurais trop te le conseiller…

— As-tu au moins tiré quelque chose de positif de ton séjour ?

— Je crois oui… Cette vaste farce m'a donné une idée de roman.

— Formidable ! Tu vas te remettre enfin à écrire ?

— Oui, c'est certain, et l'intrigue se passera dans une île imaginaire.

— Snark ?

— Oui, Snark… murmura Julia, pensive.

— Alors, rien n'est perdu ! s'exclama Aline, enthousiaste.

— Rien, non…

— Et tu as déjà l'idée d'un titre ?

— Oui. Mon histoire s'intitulera *Cendres mortelles*.

— Plutôt énigmatique, non ?

— Peut-être…

IMPRIMÉ EN FRANCE PAR BRODARD ET TAUPIN
Usine de La Flèche, le 6-03-1998
Dépôt édit. : 8095-03/1998
N° Impr. : 2224D-5
ISBN : 2-7024-9560-5
Édition 01

52/7061/6